F1.56
DFV2

Johanna Barsch

DEUTSCHER ALLTAG

Ein Gesprächsbuch für Ausländer

JOHANNA BARSCH

DEUTSCHER ALLTAG

Ein Gesprächsbuch für Ausländer

MAX HUEBER VERLAG

DEUTSCHE REIHE FÜR AUSLÄNDER

Herausgegeben von Dora Schulz und Heinz Griesbach
Reihe A: Lesestoffe zum Sprachunterricht
Barsch · Deutscher Alltag

Umschlagfoto: Fritz Seidel, München

Hueber Nr. 1020
9. Auflage 1973
© 1959 by Max Hueber Verlag, München
Gesamtherstellung: Druckerei J. Manz, Dillingen
Printed in Germany

Vorwort

Dieses Buch mit Gesprächen aus dem deutschen Alltag soll eine Hilfe im Deutschunterricht sein. Die Menschen, welche die Gespräche führen, sprechen das alltägliche Deutsch, die Umgangssprache. Nicht immer genügt diese den strengen Regeln der Grammatik ganz! Aber den Herausgebern und der Verfasserin war es wichtig zu zeigen, wie in Deutschland wirklich gesprochen wird. Sie wollen dem Ausländer, der Deutsch lernt, helfen, sich in Deutschland gut zu verständigen und die Deutschen zu verstehen. – Einige Abschnitte des Buches sind nicht in Gesprächsform gehalten. Der Lehrer und die Schüler sollen Gelegenheit haben, selbst Gespräche daraus zu machen. Andere Abschnitte eignen sich dazu, kleine Stegreifspiele und Szenen mit den Schülern aufzuführen. Die Herausgeber und die Verfasserin hoffen, daß das Buch den Deutschunterricht beleben und Lehrern wie Schülern Freude machen wird.

In der neuen Auflage wurden wieder einige Anregungen zu Verbesserungen berücksichtigt.

Inhaltsverzeichnis

Wir suchen ein Zimmer

Hermann: Gerhardt, ich bin gespannt, wie lange wir brauchen, bis wir ein Zimmer finden. Das soll hier nicht leicht sein.

Gerhardt: Nein, denn in den meisten großen Städten ist der Bedarf an Wohnungen leider immer noch größer als das Angebot.

Hermann: Trotzdem wollen wir das Beste hoffen! Laß uns erst einmal überlegen: Wollen wir zwei Zimmer suchen und getrennt wohnen, oder wollen wir miteinander in ein Zimmer ziehen?

Gerhardt: Wenn wir in ein Zimmer ziehen, wohnen wir billiger als wenn jeder sein eigenes Zimmer hat. Wir sind ja Freunde von klein auf und haben schon öfter zusammen gewohnt. Wenn jeder ein wenig Rücksicht auf den anderen nimmt, werden wir uns gegenseitig nicht allzusehr stören. Also suchen wir ein Zimmer mit zwei Betten, ja?

Hermann: Abgemacht, nehmen wir uns das einmal vor. Sollten wir aber zwei preiswerte Einbettzimmer finden, etwa im gleichen Haus, dann greifen wir zu und versteifen uns nicht auf ein Zweibettzimmer.

Gerhardt: Gut, ich bin einverstanden. Wollen wir zunächst einmal in den verschiedenen Studentenheimen nachfragen? Man soll dort recht preiswert und sehr angenehm wohnen.

Hermann: Ja, das habe ich auch schon gehört. Ich fürchte nur, wir werden in den Studentenheimen wenig Glück haben. Man muß sich viele Monate vorher anmelden, wenn man dort ein Zimmer bekommen will. Sie nehmen auch vor allem Studenten in den höheren Semestern.

---

ich bin gespannt ich bin neugierig – *von klein auf* seit der Kinderzeit – *Rücksicht nehmen auf jn* an den anderen denken und sich nach ihm richten – *sich et. vornehmen* et. tun wollen – *zugreifen* et. sofort nehmen – *sich auf et. versteifen* et. unbedingt haben wollen

Gerhardt: Gut, dann können wir uns diesen Weg sparen. – Hier ist die Zeitung. Es ist die Wochenendausgabe, da stehen die meisten Anzeigen drin. Nimm einmal den Stadtplan zur Hand. Wir wollen nachsehen, wo die Straßen liegen, in denen Zimmer zu haben sind. Allzu weit weg von der Universität wollen wir nicht ziehen. Man verfährt sonst zu viel Zeit und Geld. Hier sind Zimmer angezeigt in der Lindenstraße und in der Tannenstraße. Und hier am Berliner Platz und in der Mozartstraße.

Hermann: Wenn wir mit den Adressen aus der Zeitung kein Glück haben, dann gehen wir zur Universität. Dort sind freie Zimmer am schwarzen Brett angeschlagen. Sobald die Adressen bekannt werden, trachtet jeder danach, so schnell wie möglich zu den Vermietern zu kommen. Wer zuerst dort ist, bekommt gewöhnlich das Zimmer. – Auch das Studentenwerk vermittelt Adressen. Dort können wir ebenfalls hingehen.

Gerhardt: Du, es gibt doch Vermittlungsbüros, wo man Adressen von Vermietern erfährt! Wäre das nicht ein Weg, um zu einem Zimmer zu kommen?

Hermann: Auch das können wir versuchen. Aber natürlich muß man dem Büro etwas dafür bezahlen, daß es eine Wohnung nachweist. Das bedeutet wieder eine Ausgabe mehr für uns.

Gerhardt: Lassen wir die Büros zunächst beiseite, vielleicht geht es auch ohne sie. Eben fällt mir ein, wie mein Freund Walter voriges Jahr in München zu einem Zimmer kam. Er hatte schon vieles vergeblich versucht und war nahe daran, wieder von München abzureisen. Da ging er nachmittags zwischen 4 und 6 Uhr in eine belebte Geschäftsstraße. Dort waren einige große Lebensmittelgeschäfte. Die Haus-

Zeit verfahren unnötig Zeit für die Fahrt brauchen – *das schwarze Brett* Wandbrett für Mitteilungen – *nach et. trachten* et. intensiv wollen, versuchen – *das Studentenwerk* (Verband der Studentenwerke) Verein, der die Interessen der Studenten vertritt *et. fällt mir ein* ich denke plötzlich an et.

trachten nach. – strive for

frauen mit ihren Einkaufstaschen gingen aus und ein. Er sprach höflich und bescheiden einige Frauen an und erzählte ihnen, daß er ein Zimmer suche und keines finden könne. Und stell dir vor – die Frauen waren alle freundlich und nett, und die dritte verhalf ihm zu einem Zimmer.

Hermann: Wunderbar! Aber ich weiß nicht, ob ich das könnte – einfach eine Frau auf der Straße ansprechen. Ich bin zu schüchtern und hätte Angst, daß ich mir eine schroffe Ablehnung hole. – Aber wir könnten ja auch selbst eine Anzeige in der Zeitung aufgeben: „Zwei Studenten suchen ein freundliches Zimmer". Wie wäre das?

Gerhardt: Natürlich könnten wir das tun. Aber Zeitungsanzeigen sind gar nicht billig. Übrigens, es gibt auch Anzeigen, die nichts kosten. Du kennst doch Heinrich, der daheim im Hause neben uns wohnt. Er ist älter als wir und studiert schon länger. Der geht einfach in die Bäckerläden, in die Milchläden oder zu den Metzgern und fragt, ob sie nicht ein Zimmer für ihn wüßten. Einmal hat eine freundliche Bäckersfrau erlaubt, daß er in ihrem Laden ein kleines Schild aufhängte: Student sucht Zimmer. Und nach drei Tagen meldete sich eine Frau aus der Nähe, die wirklich ein freies Zimmer zu vergeben hatte. So kam Heinrich zu einem Zimmer, und es hat ihn gar nichts gekostet.

Hermann: Was Walter und Heinrich fertig bekommen haben, das können wir auch. Los, Gerhardt, steck den Stadtplan ein. Jetzt fahren wir erst einmal in die Lindenstraße und in die Tannenstraße. Frisch gewagt ist halb gewonnen.

---

jm zu et. verhelfen jm helfen, et. zu bekommen
schroff hier: unfreundlich
frisch gewagt ist halb gewonnen (Sprichwort) man muß ein Problem nur sofort anpacken, dann kann man es lösen

Wir mieten ein Zimmer

Hermann: Gerhardt, heute vormittag kam ich nach der Vorlesung mit einem Studenten ins Gespräch. Er hat mir erzählt, daß einer seiner Bekannten plötzlich sein Studium unterbrechen muß und daß sein Zimmer frei wird. Hier auf diesem Zettel habe ich die Adresse.

Gerhardt: Laß sehen: Frau Frieda Jäger, Lerchenstraße 58. Wo liegt denn die Lerchenstraße?

Hermann: Im Nordend. Das ist der große Stadtteil, wo viel gebaut wird. Auf dem Stadtplan habe ich die Lerchenstraße nicht finden können. Sie muß also eine ganz neue Straße sein. Am besten nehmen wir die Straßenbahn und fragen den Schaffner, wo die Lerchenstraße ist. Er wird das sicher wissen.

Gerhardt: Weißt du, welche Linie nach dem Nordend fährt?

Hermann: Ja, die Linien vierzehn und vierundzwanzig.

Hermann: *(beim Lösen des Fahrscheins zum Schaffner)* Bitte, können Sie mir sagen, wo die Lerchenstraße ist? An welcher Haltestelle müssen wir aussteigen?

Schaffner: Sie müssen bis zur Haltestelle Frühlingsstraße fahren. Wenn Sie ausgestiegen sind, gehen Sie in der Richtung weiter, in der die Straßenbahn fährt. Die zweite Querstraße rechts ist die Lerchenstraße.

Hermann: Vielen Dank. Bitte sagen Sie uns, wann die Frühlingsstraße kommt. Diese Gegend ist uns fremd, wir kennen uns hier nicht aus.

Schaffner: Keine Sorge, mein Herr. Ich rufe jede Station aus. Nächste Haltestelle Königsallee! Steigt jemand aus?

Gerhardt: Du, hier ist es hübsch! Es gibt viele Gärten und man sieht ins Grüne. Vielleicht ist es in der Lerchenstraße auch so.

Hermann: Wahrscheinlich! Wenn die Straße nur nicht gar zu weit draußen liegt.

Schaffner: Nächste Haltestelle Frühlingsstraße! Jetzt müssen Sie aussteigen.

Gerhardt:	Vielen Dank! Also Hermann, hier sind wir. Wie war die Hausnummer? Nr. 58. Da müssen wir noch ein paar hundert Meter gehen, denn hier fangen die Nummern mit zwei an. Auf der anderen Straßenseite sind die Häuser mit den ungeraden Nummern, dort brauchen wir gar nicht erst zu suchen. Fünfzig, zweiundfünfzig – gleich sind wir so weit! Achtundfünfzig – ein ganz nettes Haus. In welchem Stockwerk wohnt Frau Jäger? Zweiter Stock, rechts. Hier ist die Klingel. Auf in den Kampf, Hermann!
Hermann:	Guten Tag, Frau Jäger! Wir haben gehört, daß bei Ihnen ein Zimmer frei wird, und möchten fragen, ob Sie es wieder vermieten. Wir suchen nämlich ein Zimmer.
Frau Jäger:	Ja, bei uns wird ein Zimmer frei. Herr Bauer muß plötzlich nach Hause, und er weiß nicht, ob und wann er wiederkommt. Natürlich vermiete ich das Zimmer wieder, denn wir brauchen es selbst nicht. Sind Sie auch Studenten, wie Herr Bauer?
Gerhardt:	Ja, wir studieren Maschinenbau. Können wir das Zimmer einmal sehen?
Frau Jäger:	Gewiß, bitte kommen Sie herein. Ich gehe voraus, weil Sie sich ja in der Wohnung nicht auskennen. Sehen Sie, hier ist das Zimmer. Es liegt auf der Ostseite und hat Morgensonne. Ist es nicht ein schönes, großes Zimmer?
Hermann:	Ja, es ist ganz geräumig. Herr Bauer hat hier allein gewohnt – sagen Sie, Frau Jäger, könnten wir vielleicht zu zweit unterkommen? Hier hätte doch noch ein zweites Bett oder eine Couch Platz. Und den Schrank und die Kommode würden wir uns teilen, mein Freund und ich. Übrigens müssen wir uns vorstellen: Ich heiße Hermann Junghans, mein Freund heißt Gerhardt Völker.
Frau Jäger:	Sehr angenehm! So – Sie möchten miteinander hier einziehen. Nun, darüber läßt sich reden. Wir haben noch

---

auf in den Kampf! los, vorwärts
sich auskennen et. so gut kennen, daß man sich leicht zurechtfindet

	ein Bett auf dem Speicher stehen und ich habe auch alles, was dazu gehört. Das brauchte ich nur herunter zu holen – und vielleicht würden Sie mir dabei helfen?
Gerhardt:	Aber selbstverständlich, Frau Jäger, das täten wir sehr gern. – Sagen Sie bitte, was soll das Zimmer kosten?
Frau Jäger:	Wenn Sie zu zweit hier wohnen, kostet das Zimmer 200.– Mark Miete im Monat.
Hermann:	Das Frühstück ist im Preis nicht inbegriffen?
Frau Jäger:	Nein, Herr Junghans. Zweihundert Mark Miete für solch ein großes Zimmer in dieser hübschen Gegend hier ist nicht viel. Das Frühstück können Sie sich selbst in der Küche machen, und ich müßte dann noch eine Kleinigkeit fürs Gas und für Geschirrbenutzung berechnen. Wenn Sie es wünschen, kann auch ich Ihnen das Frühstück machen. Wir müßten dann vereinbaren, was Sie morgens essen und trinken wollen. Daraus ergibt sich der Preis.
Gerhardt:	Was haben Sie denn für eine Heizung in der Wohnung?
Frau Jäger:	Wir haben Etagenheizung, und die ganze Wohnung ist bei uns im Winter immer gemütlich warm. In einer Heizperiode brauchen wir etwa 800 l Öl. Es kommt natürlich darauf an, ob wir einen strengen oder einen milden Winter haben. Mein Mann hat ausgerechnet, daß auf dieses Zimmer hier der fünfte Teil der Heizkosten entfällt, das sind 160 l Öl. Wir rechnen, daß wir sieben Monate heizen müssen. Es sind also pro Monat rund 25 l Öl zu bezahlen. Dafür haben Sie es aber immer warm, und alle Nebenräume, der Flur, die Toilette und die Küche sind auch warm. Sie brauchen bei uns überhaupt nicht zu frieren.
Hermann:	Das ist natürlich ein großer Vorteil. Weißt du, Gerhardt, es ist schon sehr angenehm, wenn man im Winter

---

darüber läßt sich reden ich bin bereit, darüber zu sprechen; das kann man vielleicht machen – *der Speicher*, – hier: Dachboden, Raum direkt unter dem Dach
inbegriffen eingeschlossen, enthalten

abends müde aus der Hochschule heimkommt und ein warmes Zimmer vorfindet. Ich habe schon in Zimmern gewohnt mit riesigen, ganz veralteten Kachelöfen. Sie fressen eine Menge Kohle, und es wird doch nie richtig warm in solchen Buden.

Frau Jäger: Fahren die Herren in den Semesterferien nach Hause?

Hermann: Ja, natürlich. Wie steht es dann mit der Miete, Frau Jäger?

Frau Jäger: Die Miete müßten Sie während der Ferien weiter bezahlen, daran läßt sich leider nichts ändern. Denn ich kann das Zimmer ja jederzeit an berufstätige Herren oder Damen vermieten und bekomme dann auch die Miete das ganze Jahr über. Es kann aber sein, daß meine verheiratete Tochter und mein Enkelkind zeitweise zu Besuch kommen, während Sie nicht hier sind. Für diese Zeit würde ich dann keine Miete verlangen, wenn ich das Zimmer vorübergehend benutzen könnte.

Hermann: Selbstverständlich könnten Sie das! Das stört uns gar nicht, und wir sparen dadurch Miete während der Ferien. – Bitte, Frau Jäger, sind Bettwäsche und Handtücher im Mietpreis inbegriffen?

Frau Jäger: Ja, das gehört dazu. Um die Wäsche brauchen Sie sich nicht zu kümmern.

Hermann: Frau Jäger, wir essen am Abend gern daheim. Würden Sie erlauben, daß wir uns in der Küche eine Tasse Kakao und ein Ei machen? Oder lassen Sie niemanden in Ihre Küche hinein?

Frau Jäger: Ach wo, so unfreundlich bin ich nicht! Natürlich können Sie sich Ihr Abendessen in der Küche richten. Das ist mir viel lieber, als wenn die Mieter anfangen, im Zimmer zu kochen. Viel kochen werden Sie ja ohnehin nicht. Und auf Kleinigkeiten soll es mir nicht ankommen. Vielleicht rechnen wir dann noch monatlich zwei Mark für Gasbenützung? Wäre Ihnen das recht?

das ganze Jahr über während des ganzen Jahres
ohnehin nicht fast sicher nicht – *es kommt mir auf et. an* es ist mir sehr wichtig

Gerhardt:　Ja natürlich. Wer räumt denn das Zimmer auf, Frau Jäger?

Frau Jäger:　Ich selbst. Sie brauchen für Bedienung nicht gesondert zu zahlen.

Hermann:　Wie steht es mit Besuchen, Frau Jäger? Stört es Sie, wenn wir Besuch bekommen?

Frau Jäger:　Wenn der Besuch rücksichtsvoll ist, dann nicht. Wir hatten aber schon Herren hier, bei denen wurde bis spät abends gesungen und gelärmt. Wenn es zu unruhig ist, beschweren sich die anderen Hausbewohner. Und dann die Damenbesuche, das ist auch so ein Kapitel!

Hermann:　Nein, Frau Jäger, Lärm machen wir bestimmt nicht. Unsere Freunde sind ruhige Leute, wir trinken eine Tasse Tee miteinander und unterhalten uns. Nach zehn Uhr abends würden wir ganz besonders Rücksicht nehmen, das ist doch selbstverständlich. Und Damenbesuche bekommen wir selten. In unserem Fach gibt es kaum Studentinnen, da studieren fast nur Männer.

Frau Jäger:　Nun, ich bin auch in diesem Punkt nicht engherzig. Aber ich würde vorschlagen, daß die Damen, wenn einmal welche kommen, vor Mitternacht das Haus verlassen. – Wissen Sie, es liegt mir daran, daß die anderen Mieter keinen Grund zum Klatschen haben. – Wollen Sie also das Zimmer mieten? Sind Sie damit einverstanden, die Miete im voraus zu bezahlen? Sie könnten in drei Tagen einziehen, und ich würde um eine kleine Vorauszahlung bitten.

Hermann:　Jawohl, Frau Jäger, wir nehmen das Zimmer. Hier sind zwanzig Mark als Anzahlung, bitte geben Sie mir eine Quittung. Siehst du, Gerhardt, es hat geklappt. Wir haben ein Zimmer. Alles weitere wird sich finden.

---

sich beschweren über et. sich beklagen (bei der Stelle, die Abhilfe schaffen kann)
das ist ein Kapitel! das ist etwas, worüber man viel (Unangenehmes) sprechen könnte – *engherzig* kleinlich – *klatschen* hier: schlecht über jn reden – *klappen* hier: in Ordnung kommen; so werden, wie man gehofft hat

Einkauf in der Papierhandlung

Verkäuferin: Guten Morgen! Womit kann ich dienen?

Käufer: Ich brauche Briefpapier und Briefumschläge.

Verkäuferin: Wünschen Sie weißes Papier oder farbiges? Soll das Papier einfach sein oder darf ich Ihnen etwas Besseres zeigen?

Käufer: Ich brauche einfaches und besseres Papier – bitte zeigen Sie mir beides.

Verkäuferin: Hier ist das einfache weiße Briefpapier. Wir führen es in Packungen zu 25, 50 und 100 Stück. Selbstverständlich können Sie auch mehr haben. Der Preis ist um so niedriger, je mehr Sie kaufen. Tausend Blatt kosten z. B. 12.– DM, hundert Blatt dagegen eine Mark achtzig.

Käufer: Aber tausend sind zu viel. Ich nehme vorerst einmal hundert Blatt und dazu die passenden Umschläge.

Verkäuferin: Hier ist elegantes Papier – welches darf ich Ihnen geben?

Käufer: Das hellgraue Papier gefällt mir gut! Wie viele Bogen sind in dieser Packung?

Verkäuferin: Fünfundzwanzig! Die Packung kostet vier Mark.

Käufer: Gut, die nehme ich auch. – Jetzt brauche ich noch einige Bleistifte, einen guten Radiergummi und einen roten Farbstift.

Verkäuferin: Hier, mein Herr, hier sind die Bleistifte. Brauchen Sie nicht auch einen Kugelschreiber? Wir haben besonders preiswerte und praktische Kugelschreiber, die sehr gern gekauft werden.

Käufer: Ja, davon nehme ich auch einen. Und jetzt brauche ich noch Hefte.

Verkäuferin: Darf ich fragen, für welchen Zweck Sie die Hefte brauchen? Sollen es Schulhefte sein, oder wollen Sie Notizen machen?

---

der Umschlag, 1e Kuvert – *et. führen* hier: et. auf Lager haben, um es zu verkaufen

Käufer:	Ich will in den Vorlesungen mitschreiben.
Verkäuferin:	Jetzt verstehe ich – es sollen Kolleghefte sein. Für diesen Zweck haben wir hier die Ringbücher. Dieses Ringbuch hat einen festen, sehr haltbaren Umschlag. Und hier sehen Sie die Vorrichtung zum Auswechseln der Blätter. Sie können dieses Ringbuch für jedes Fach benutzen und die Blätter später herausnehmen, nach Belieben aufheben und ordnen. Die Blätter können Sie immer bei uns nachkaufen. Die Ringbücher sind bei den Studenten sehr beliebt, sie werden viel gekauft.
Käufer:	Ich nehme dieses Ringbuch. Geben Sie mir gleich hundert Blatt Papier dazu. Und jetzt brauche ich nichts mehr – bitte rechnen Sie alles zusammen.

Wie lernt man schnell und gut Deutsch?

Der ausländische Student ist erst vor kurzem in die große deutsche Universitätsstadt gekommen. Er hat noch keine Bekannten und fühlt sich einsam. An einem schönen Sonntagmorgen geht er in einen Park und setzt sich nahe an einem kleinen See auf eine Bank. Er beobachtet andere Spaziergänger, und auch die Wasservögel auf dem See. Er hat ein deutsches Wörterbuch bei sich, in dem er eifrig blättert, doch kann er die Namen für die verschiedenen Vögel nicht finden und entschließt sich, jemanden danach zu fragen.

Student:	Erlauben Sie, mein Herr, daß ich Sie etwas frage? Wie nennt man diese Vögel hier auf dem Wasser?
Herr:	Das sind Wildenten. Die unscheinbaren Vögel mit dem bräunlichen Gefieder sind die Weibchen. Die anderen mit den grauen Federn und den schönen grünen Federn an Hals und Kopf, das sind die Männchen. Es ist umgekehrt wie bei den Menschen: Hier sind die

unscheinbar gar nicht auffallend – *das Gefieder* das Federkleid

	Herren bunt herausgeputzt, und die Damen tragen einfache Kleidung.
Student:	*(muß lachen)* Das ist sehr interessant! Ich danke Ihnen vielmals für Ihre freundliche Auskunft.
Herr:	Sind Sie fremd hier? Und Sie sind kein Deutscher, oder?
Student:	Ich bin erst vor wenigen Tagen hierher gekommen, um hier zu studieren. Ich stamme aus Persien. Die deutsche Sprache macht mir noch Schwierigkeiten. Ich bemühe mich, die Ausdrücke zu lernen für alles, was ich sehe und höre.
Herr:	Da haben Sie viel vor! Hier kommen meine Frau und meine beiden Kinder. Ich bin ein wenig vorausgegangen. Am See treffen wir uns gewöhnlich wieder. Wir lieben diesen kleinen See und die Vögel darauf – sehen Sie, dort hinten, die großen weißen Vögel, das sind Schwäne. Die Einzahl heißt Schwan – darf ich Ihnen ein wenig Sprachunterricht geben?
Student:	Ich bin sehr glücklich und sehr dankbar, wenn mir jemand weiterhilft. Gestatten Sie, daß ich mich vorstelle – mein Name ist Hossein.
Herr:	Ich heiße Meißner, von Beruf bin ich Kaufmann. Elisabeth, ich möchte dir Herrn Hossein vorstellen. Er ist ein junger ausländischer Student, der gern Deutsch lernen will. Das ist mein Sohn Hans und meine Tochter Annemarie.
Die Dame und die Kinder:	Guten Tag, Herr Hossein, grüß Gott, Herr Hossein! Schließen Sie sich uns an? Ach ja, gehen wir miteinander weiter. Welche Sprache sprechen Sie?
Student:	Meine Muttersprache ist Persisch. Auf der Schule habe ich Englisch und Französisch gelernt. Mein Vater wollte, daß ich in Deutschland studiere, und so

---

herausgeputzt sein sehr kostbar und auffallend angezogen sein – *sich jm anschließen* mit jm gehen

	habe ich bei einem Privatlehrer Deutsch gelernt. Aber ich spreche es noch nicht sehr gut und muß noch viel lernen. Bitte geben Sie mir doch einen guten Rat: Wie und wo lernt man am besten Deutsch?
Herr:	Ich glaube, da kann ich Ihnen ein wenig raten. Mir ging es ähnlich wie Ihnen. Ich fuhr als junger Mensch nach England und konnte damals nur ein sehr mittelmäßiges Schulenglisch. Wichtig scheint mir, daß Sie möglichst wenig mit Ihren Landsleuten zusammenkommen.
Student:	Wirklich, ist das Ihr Ernst, Herr Meißner? Das ist hart für mich. Wir sind alle so weit weg von zu Hause und haben oft Heimweh. Da ist es doch natürlich, daß man sich an Landsleute anschließt.
Herr:	Aber Deutsch lernen Sie dabei nicht! Sie sollten möglichst nur mit Deutschen zusammenkommen.
Student:	Das ist für einen Ausländer nicht einfach, Herr Meißner. Es ist nicht leicht, Deutsche kennenzulernen.
Herr:	Wir wollen Ihnen gleich beweisen, daß dies möglich ist, Herr Hossein! Wissen Sie was: Sie gehen mit uns noch ein wenig spazieren und begleiten uns dann nach Hause.
Dame und Kinder:	Wir würden uns freuen, wenn Sie mit uns kämen. Ja, Herr Hossein, Sie müssen mit uns kommen! Ich zeige Ihnen unseren Kater Schnurri! Und ich zeige Ihnen meine Briefmarkensammlung – sagen Sie, haben Sie ausländische Briefmarken? Könnten wir vielleicht Marken tauschen?
Student:	Sie sind sehr gütig, und ich bin glücklich, wenn ich Sie begleiten darf. Ja, ich habe ein paar Briefe von daheim in der Tasche. Die Marken gebe ich dir gern, Hans. Sagen Sie bitte, Herr Meißner, gibt es hier in der Stadt Schulen, um Deutsch zu lernen?

hart hier: sehr schwer

18

Herr:	Sie sprechen doch schon so gut Deutsch – glauben Sie wirklich, daß Sie noch einen Lehrer brauchen?
Student:	Ich frage nicht nur meinetwegen. Ich habe Landsleute hier, die noch recht wenig Deutsch können.
Herr:	Freilich – wer erst anfängt, Deutsch zu lernen, der braucht unbedingt einen guten Unterricht und gute Lehrer. Deutsch-Kurse werden an der Universität abgehalten. Sehr viel und sehr rasch lernt man auch in den Schulen des Goethe-Instituts. Ein Anfänger sollte einen möglichst gründlichen Sprachunterricht haben. Er sollte sich den Kurs aussuchen, der die meisten Wochenstunden hat, und dann sollte er auch wirklich in jede Stunde gehen.
Student:	Und wie kann man später am besten seine Kenntnisse in der deutschen Sprache verbessern?
Herr:	Ich habe selbst zwei fremde Sprachen erlernt. Es gibt da einige kleine Kniffe, die sich sehr bewährt haben. Übersetzen Sie z. B. an einem Tag fünf bis sechs Sätze aus dem Deutschen in Ihre Muttersprache, und schreiben Sie das auf. Legen Sie die Übersetzung in eine Schublade, und übersetzen Sie die Sätze am nächsten Tag zurück ins Deutsche. Dann vergleichen Sie den ersten Text mit dem zweiten. Auf diese Weise merken Sie, in welchen Punkten sich Ihre Muttersprache vom Deutschen unterscheidet.
Student:	Das ist ein ausgezeichneter Gedanke! Das werde ich heute noch versuchen.
Herr:	Noch einen kleinen Trick will ich Ihnen verraten: Man muß sich doch immer bemühen, seinen Wortschatz zu vergrößern. Das habe ich so gemacht: Ich habe einen Text gelesen, zu dem ein Wortregister gehörte. Jedes Wort, das ich nicht kannte, habe ich nachgeschlagen. Schlug ich es das erste Mal nach,

der Kniff, -e Trick – *ein Wort nachschlagen* ein Wort in einem Lexikon (Register) suchen

	dann habe ich neben das Wort einen Punkt gemacht. Mußte ich es zum zweiten Mal nachschlagen, weil ich es mir noch nicht gemerkt hatte, dann machte ich zwei Punkte. Wenn ich aber zum dritten Mal nachschlagen mußte, dann habe ich es mir in ein Heft herausgeschrieben und richtig auswendig gelernt.
Student:	Auch das werde ich Ihnen nachmachen. Ich möchte so gern wirklich gut Deutsch sprechen können, und glauben Sie mir, auch meine Landsleute geben sich große Mühe, die deutsche Sprache zu erlernen. Und das ist ja leider gar nicht leicht.
Dame:	*(in scherzhaftem Ton)* Man hört doch immer, daß die jungen Herren aus dem Ausland am schnellsten Deutsch lernen, wenn sie eine deutsche Freundin finden! Wie wäre es denn damit, Herr Hossein?
Student:	Auch das ist nicht ganz einfach, gnädige Frau. Ich bin zuhause sehr streng erzogen worden und habe keine große Erfahrung mit dem anderen Geschlecht. Junge Mädchen aus guten Familien lernt man nicht so leicht kennen. Sie sind zurückhaltend und lassen sich natürlich von einem Fremden nicht ansprechen. Und die anderen, mit denen man leicht bekannt werden könnte – nun, da kann es sein, daß man schlechte Erfahrungen macht und gar nichts dabei gewinnt.
Herr:	Da haben Sie sehr recht, Herr Hossein! Elisabeth, du solltest einem jungen Mann wirklich keine so leichtfertigen Ratschläge geben – aber du hast es ja gar nicht ernst gemeint.

---

wie wäre es damit? wäre das nicht eine Möglichkeit? – *leichtfertig* unüberlegt

Wir gehen mittagessen

Christine: Ruth, wo wollen wir heute zu Mittag essen?

Ruth: Nicht in der Mensa! Das Essen dort habe ich satt.

Christine: Seit wann bist du so kritisch und anspruchsvoll? Das Essen in der Mensa ist doch ganz gut. Du bekommst nirgendwo so große Portionen für so wenig Geld.

Ruth: Natürlich, das weiß ich! Aber hast du nicht auch schon die Erfahrung gemacht, daß man jede Massenverpflegung nach einiger Zeit satt bekommt? Man sehnt sich nach anderer Kost.

Christine: Ich sehne mich nach Mutters Kochtöpfen! So gut wie daheim schmeckt es natürlich hier nicht. Und wie habe ich zuhause früher übers Essen gemeckert und kritisiert. Meine Mutter lacht immer, wenn mir jetzt in den Ferien einfach alles schmeckt, was sie kocht. – Aber wo wollen wir heute essen?

Ruth: Gehen wir einmal in den Gasthof zum Schwarzen Adler. Er sieht von außen sauber und freundlich aus. Kollegen haben mir gesagt, daß man dort gut und preiswert ißt.

Kellner: Guten Tag, meine Damen! Wünschen Sie zu speisen? Und was möchten Sie trinken?

Ruth: Bitte bringen Sie mir ein kleines Helles! Meine Freundin trinkt ein Glas Apfelsaft. Und bringen Sie uns bitte die Speisekarte!

Kellner: Jawohl, sofort – hier ist die Karte. Die Getränke bringe ich gleich.

Christine: Also, Ruth, was essen wir? Die Speisekarte ist sehr reichhaltig – es gibt Ochsenfleisch, Kalbfleisch, Schweinefleisch. Wie wäre es mit einem Gulasch?

die Mensa Speiselokal für Studenten – *ich habe et. satt* ich will et. absolut nicht mehr – *über et. meckern* über et. schimpfen (U), Ziegen meckern
ein kleines Helles ein Viertelliter helles Bier

Ruth:	Nein, Gulasch nicht. Das ist immer scharf gewürzt, man bekommt danach Durst. Möchtest du Schweinebraten? Nein, er ist dir zu fett? Mir geht es ganz genau so. Halt, schau einmal her, hier gibt es ein Menü! Da kostet das ganze Essen mit Suppe und Nachtisch 6 Mark. Ich glaube, das wäre vorteilhaft.
Kellner:	Haben die Damen schon gewählt?
Christine:	Noch nicht ganz, wir sahen gerade, daß es ein Menü gibt.
Kellner:	Jawohl, meine Damen, das ist heute ganz besonders zu empfehlen. Es gibt Tomatensuppe mit Reis, danach gekochtes Ochsenfleisch mit Kartoffeln und verschiedenen Gemüsen, und als Nachtisch Pudding mit Fruchtsaft. Darf ich zweimal Menü bringen?
Ruth:	Ja – nicht wahr, Christine, es ist dir recht so?
Christine:	Schmeckt dir die Suppe, Ruth?
Ruth:	O ja, sie ist ganz gut. Im allgemeinen esse ich wenig Suppe. Aber Tomatensuppe mit Reis mag ich gern.
Christine:	Hier kommt schon das Fleisch. Flotte Bedienung, das muß ich sagen!
Ruth:	Wir sind ja auch sehr früh dran, es ist noch nicht ganz zwölf Uhr. Später wird man länger warten müssen.
Christine:	Wie ist das Fleisch, Ruth? Meins ist ganz gut, es ist weich und zart. Bei meiner Portion ist ein Stückchen Fett, das muß ich eben liegen lassen. Ich muß mich vor fettem Essen sehr in acht nehmen, ich vertrage es nicht.
Ruth:	Ich esse Ochsenfleisch sehr gern und finde immer, daß es besser sättigt als Schweinefleisch oder Kalbfleisch. Und das Gemüse ist reichlich. Ich kann es nicht leiden, wenn man zum Fleisch nur eine winzige Portion Gemüse und Kartoffeln bekommt. Man wird dann nicht richtig satt.

gewürzt mit viel Gewürz (z. B. Salz, Pfeffer, Paprika)
et. ist zu empfehlen man sagt, daß et. gut ist
flott hier: rasch, schnell – *et. nicht vertragen* hier: et. nicht essen (trinken) können, weil es nicht gut für die Gesundheit ist

Christine:	So, ich bin fertig – das hat geschmeckt. Da kommt auch schon der Nachtisch. Sagen Sie, Herr Ober, kann man bei Ihnen eine gute Tasse Kaffee bekommen?
Kellner:	Selbstverständlich, meine Damen! Es gibt Filterkaffee bei uns, Sie werden sicher zufrieden sein.
Ruth:	Gut, dann noch zwei Tassen Kaffee, bitte.
Christine:	So, Ruth, heute haben wir aber wirklich gut gegessen, heute darfst du dich nicht beklagen!
Ruth:	Bitte, zahlen, Herr Ober!
Kellner:	Sofort, meine Damen, ich komme gleich. – Hier ist die Rechnung. Zweimal Menü macht 12.– Mark, ein Apfelsaft 60 Pfennig, ein kleines Helles 70 Pfennig, zwei Tassen Kaffee 1 Mark 40, macht zusammen 14 Mark 70. Zwanzig Mark – hier sind fünf Mark dreißig zurück. Besten Dank, meine Damen! Auf Wiedersehen!
	Dank, meine Damen! Auf Wiedersehen!

Was trinken wir?

In der ganzen Welt ist die Meinung verbreitet, daß alle Deutschen gern und viel Bier trinken. Tatsächlich ist Bier in vielen Gegenden Deutschlands das beliebteste Getränk, vor allem in Bayern, in Westfalen, Hannover usw. Wer es sich leisten kann, trinkt gern ein Glas Bier zu den Mahlzeiten. Menschen, die schwere körperliche Arbeit verrichten, trinken Bier auch in den kurzen Pausen zwischen der Arbeit. Man sollte meinen, daß sie davon müde werden. Sie sind aber an das Bier gewöhnt, es erfrischt sie, ohne müde zu machen. Bier wird auch getrunken, wenn man abends nach der Arbeit gemütlich beisammen sitzt. Bleibt man daheim, so wird das Bier aus der Gastwirtschaft geholt, entweder in Flaschen oder in einem Krug. In den

z. B. zum Beispiel – usw. und so weiter – *sich et. leisten können* genug Geld haben, um et. zu kaufen

Gaststätten kann man ein „kleines" Bier bestellen, dann bekommt man einen Viertelliter. Man kann auch „eine Halbe" verlangen, das ist ein halber Liter. In Bayern bestellen starke Männer nicht selten „eine Maß", das ist ein ganzer Liter. – Die deutschen Brauereien brauen helles und dunkles Bier. Das helle Bier schmeckt etwas bitter, das dunkle Bier schmeckt nach Malz.

Wenn das Bier ausgeschenkt wird, entsteht weißer Schaum. Trinkt man Bier in Gesellschaft, so erhebt man das Glas vor dem ersten Schluck und trinkt einander zu. Man sagt „Prost", das kommt von dem lateinischen „prosit" und heißt: es möge nützen! Oder man sagt „Auf Ihr Wohl!". – Die einzelnen Biersorten haben einen verschieden hohen Gehalt an Alkohol. Das gewöhnliche Bier enthält etwa 3–5% Alkohol. Es gibt aber auch Bier, das wesentlich mehr Alkohol enthält (10–12%), z. B. Export-Bier und Starkbiere, die zu bestimmten Jahreszeiten ausgeschenkt werden. In München trinkt man Starkbier zum Oktoberfest, im Frühjahr und im Mai. Mit dem Starkbier muß man vorsichtig sein! Es ist „süffig", wie die Biertrinker sagen, d. h. es trinkt sich leicht und angenehm, man merkt kaum, wie viel man getrunken hat. Dafür wirkt es schneller als die gewöhnlichen Biersorten mit dem niedrigeren Alkoholgehalt.

Man hat einmal gesagt, Bier sei „flüssiges Brot". Tatsächlich enthält es wertvolle Nährstoffe, Vitamine und Mineralstoffe. Ein bekannter Arzt hat festgestellt, daß Bier die übliche Kost gut ergänzt und gesund ist, wenn man nicht zu viel davon trinkt. Übermäßiger Biergenuß macht dick, ist ungesund für das Herz, den Kreislauf und die Leber.

In Württemberg, Baden und im Rheinland ist das Klima mild, dort gedeiht der Wein. Es gibt in diesen Gegenden hervorragende Weinsorten, die in der ganzen Welt berühmt sind, aber auch preiswerte Weine. Die hochwertigen Weine werden nur in verschlossenen Flaschen verkauft (Flaschenweine), die einfacheren werden aus Fässern

---

die Maß Bezeichnung für einen Liter (kein Plural: 2 Maß Bier)
brauen Bier herstellen – *das Malz* Getreide, das zu keimen begonnen hat
der Gehalt hier: Prozentsatz, Anteil – *et. ergänzen* et. vollständig machen – *der Kreislauf* Blutkreislauf – *gedeihen (gedieh, gediehen)* gut wachsen

ausgeschenkt. Der Wein enthält im allgemeinen mehr Alkohol als das Bier, man trinkt daher auch nicht so große Mengen. Es gibt Weißwein und Rotwein, und von jeder Art wieder unendlich viele verschiedene Sorten. In den Gaststätten bekommt man eine Weinkarte vorgelegt, und es ist gar nicht leicht, sich unter den vielen Sorten zurechtzufinden. In guten Lokalen wird der Kellner einen Rat geben. Man muß eben versuchen, welche Sorte am besten schmeckt. Es ist nicht gesagt, daß der teuerste Wein auch wirklich der beste ist!

Nicht immer kann man es sich leisten, Bier oder Wein zu trinken. Wer z. B. ein Fahrzeug durch den Verkehr steuern muß, braucht einen klaren Kopf und muß schnell reagieren können. Hier sind schon geringe Mengen Alkohol gefährlich! Wenn die Arbeit und der Beruf Aufmerksamkeit und Konzentration fordern, muß man während des Tages alkoholische Getränke meiden.

In der kalten Jahreszeit trinkt man gern Tee oder Kaffee. Der Tee wird in Deutschland verhältnismäßig dünn getrunken. Jedenfalls sind z. B. die Engländer viel stärkeren Tee gewöhnt. Kaffee ist ein sehr beliebtes Getränk. Er vertreibt die Müdigkeit und regt an. Tee wirkt nicht so stark wie Kaffee, er wird in Deutschland gern am späten Nachmittag oder im Winter auch zum Abendessen getrunken.

Zu jeder Jahreszeit gibt es viele Sorten alkoholfreier Getränke. Sehr gesund und bekömmlich sind Fruchtsäfte. Sie erfrischen und nähren durch ihren Gehalt an Traubenzucker. Man bekommt Apfelsaft, Traubensaft, Johannisbeersaft und andere Obstsäfte. Limonaden werden in Flaschen verkauft und erfrischen durch ihren Gehalt an Kohlensäure.

Und wenn Sie Durst haben und etwas trinken wollen – vergessen Sie die Milch nicht! Sie ist ein sehr wertvolles Nahrungsmittel. Milch wird in Flaschen verkauft oder in Packungen aus Papier oder Plastik angeboten. Diese wirft man weg, wenn sie leer sind, und braucht so keine Flaschen hin und her zu tragen.

sich zurechtfinden sich auskennen – *et. bekommt mir* es ist gut für mich, es schadet meiner Gesundheit nicht – *et. meiden* et. nicht tun (hier: nicht trinken) – *bekömmlich* ist et., was der Gesundheit gut ist

Einkäufe fürs Abendessen

Die Studenten Martin und Dietrich haben beschlossen, heute abend bei Martin auf „der Bude" zu essen und kaufen jetzt ein.

Bäckersfrau: Guten Abend, die Herren! Was wünschen Sie? Was darf's denn sein?

Martin: Vollkornbrot, Frau Moser, wenn möglich altbacken.

Bäckersfrau: Es tut mir leid – Vollkornbrot haben wir heute nicht mehr. Erst morgen kommt es wieder aus der Backstube herauf, und da wird es den Herren zu frisch sein. Ein Zweipfundwecken Roggenbrot – darf's das nicht sein?

Martin: Gut, den nehmen wir!

Dietrich: Und ich möchte ein kleines Weißbrot haben – was, das ist auch schon ausverkauft? Das Geschäft scheint gut zu gehen, Frau Moser. Sind noch Semmeln da?

Bäckersfrau: Natürlich, etwas findet sich immer, wenn die Kundschaft ein wenig Einsehen hat und nicht gar zu wählerisch ist. Wir haben noch Brezeln, Kaisersemmeln und glatte Semmeln. Von jeder Sorte zwei Stück? Macht zusammen sechs – 72 Pfennige, bitte schön. Guten Abend die Herren!

Martin: So, Dietrich, jetzt gehen wir hier in das Feinkost-Geschäft, da finden wir alles, was wir brauchen.

Verkäuferin: Guten Abend! Was wünschen die Herren?

Dietrich: Martin, jetzt laß mich mal einkaufen! Also, Fräulein, ein Viertelpfund Butter. Ja, Markenbutter, die ist uns am liebsten. – Martin, wie wärs mit etwas Schinken?

---

der Wecken, – Schwarzbrot in länglicher Form
Einsehen haben Verständnis haben – *die Kaisersemmel, -n* kleines Weißbrot mit zwei Einschnitten in Form eines Kreuzes – *das Feinkost-Geschäft, -e* Delikatessenladen, besserer Lebensmittelladen
die Markenbutter Butter aus einer Molkerei
laß mich mal machen! jetzt will ich es tun, bitte (hier: diese Einkäufe möchte ich machen)

Martin:	Du, Schinken ist aber teuer! Kaufen wir doch lieber Wurst – da gibt es auch preiswerte Sorten.
Dietrich:	Ach was, gönnen wir uns ein wenig Schinken. Du kennst doch das alte Studentenwort: „Das Leben ist schön, es ist aber auch teuer; man kann's auch billiger haben, dann ist es aber nicht mehr so schön." Fräulein, ein Viertelpfund Schinken!
Martin:	So, und jetzt werde ich unser Abendbrot noch ergänzen. Ich möchte ein Stück von diesem Butterkäse – ja der hier, der hat mir unlängst ausgezeichnet geschmeckt. Und wir nehmen noch etwas Fisch mit – ja, zwei Bücklinge. Sind sie frisch?
Verkäuferin:	Ganz frisch, sie sind erst heute aus der Nordseefischhalle gekommen. Sie kennen doch unser Geschäft, wir haben immer frische Ware. Darf ich alles zusammenpacken? Die Herren bezahlen auch gemeinsam? Bitte sehr – es macht drei Mark fünfundachtzig. Mein Herr, vergessen Sie nicht, unsere Rabattmarken mitzunehmen! Sie sammeln sie doch? Haben Sie ein Büchlein dafür?
Martin:	Selbstverständlich, ich lasse mir keine Marke entgehen.
Dietrich:	Mensch, Martin, du sammelst Rabattmarken wie eine alte Hausfrau. Was bekommst du denn dafür?
Martin.	Hier in diesem Geschäft geben sie drei Prozent Rabatt. Wenn ich für fünfzig Mark eingekauft habe – und du glaubst gar nicht, wie schnell das geht! – dann habe ich solch ein Heftchen vollgeklebt. Ich gebe es im Geschäft ab und bekomme den Betrag angerechnet. Natürlich ist die Sache mit den Rabattmarken im Grunde eine Täuschung. Man bezahlt ja doch irgendwie den ganzen Preis. Aber es hat sich so eingebürgert, die meisten Ge-

unlängst vor kurzer Zeit
die Rabattmarke, -n kleine Marken, die man in einem bestimmten Prozentsatz zum Preis der gekauften Ware bekommt. Hat man eine bestimmte Zahl von Marken, bekommt man etwas Geld von dem Geschäft wieder
sich et. entgehen lassen et. aus Unaufmerksamkeit nicht tun
es hat sich eingebürgert es ist allgemeine Gewohnheit geworden

schäfte geben Rabatt. – Jetzt holen wir uns noch etwas Obst und Salat, schlage ich vor. Ich muß jeden Tag irgend etwas Frisches essen, sonst fühle ich mich nicht wohl. Meine Mutter hat mir das besonders eingeschärft – sie ist immer sehr besorgt um die richtige Ernährung.

Dietrich: Und wo kaufst du Obst? Aha, ich sehe schon – hier an der Ecke! Guten Abend! Was haben Sie denn heute alles?

Frau Huber: Wir haben eine sehr große Auswahl – guten Abend, die Herren! Äpfel, Birnen, Pflaumen – jetzt im Herbst gibt es ja so viel schönes Obst. Auch Orangen und Bananen können Sie haben. Die Tomaten sind schön und sehr preiswert – ein Pfund vierzig Pfennige, wie wärs denn damit?

Martin: Du, Dieter, die nehmen wir! Wir machen uns einen feinen Tomatensalat, mit viel Zwiebel, Essig, Pfeffer und Öl. Diese Äpfel scheinen gut zu sein. Ein Pfund Äpfel und ein Pfund Pflaumen bitte. Nein, danke, jetzt nichts mehr. Wir haben genug. Das gibt ein fürstliches Abendessen!

Wir kaufen Lehrbücher

Zwei Studenten sitzen auf einer Bank vor der Technischen Hochschule und genießen ihre Mittagspause in der Sonne.

Eric: Darf ich fragen, ob Sie das erste Semester hier sind oder schon länger in München studieren?

Peter: Ich bin schon seit sechs Semestern hier. Eigentlich wollte ich nur zwei Semester bleiben. Aber dann gefiel es mir gut, ich fand nette Bekannte. Die Professoren sind ausgezeichnete

jm et. einschärfen jm et. eindringlich sagen

Lehrer. Jetzt mag ich die Hochschule nicht mehr wechseln. In zwei Semestern will ich mein Diplom machen.

Eric: Sie Glücklicher! Ich fange erst an, bin im ersten Semester und habe hier noch gar nicht richtig Fuß gefaßt.

Peter: Sie sind der Glücklichere von uns beiden – wissen Sie das nicht? Menschenskind – anfangen und drauflos studieren können, noch ganz ohne Examenssorgen! Erst wenn man diese herrliche Zeit hinter sich hat, weiß man, wie schön sie war.

Eric: Wirklich? Ich hoffe, daß Sie recht haben. Wahrscheinlich bin ich noch nicht so ganz hinter die Reize des Studentenlebens gekommen – einstweilen finde ich alles ziemlich schwierig! Der Übergang von der Schule zur Hochschule und von zuhause in die fremde Großstadt ist nicht ganz einfach. Außerdem bin ich Ausländer. Ich stamme aus Norwegen. Bei uns daheim ist vieles ganz anders.

Peter: Sie sprechen ausgezeichnet Deutsch! Ich wollte, ich könnte eine Fremdsprache so sprechen wie Sie meine Muttersprache. Jetzt sagen Sie mir aber einmal: Was macht Ihnen denn besondere Schwierigkeiten? Ich möchte Ihnen gern ein wenig helfen.

Eric: O, das ist sehr freundlich von Ihnen. Dafür wäre ich Ihnen sehr dankbar. Darf ich gleich anfangen zu fragen? Geben Sie mir doch einen guten Rat, wie und wo man am besten Bücher einkauft. Schon in den ersten Vorlesungen hat fast jeder Dozent ein oder gar mehrere Lehrbücher genannt, die man sich anschaffen sollte. Die Bücher für mein Studiengebiet – Architektur – sind sehr teuer. Sie haben nämlich viele schöne Bilder und sind deshalb auf Kunstdruckpapier gedruckt. Ich war gestern in einer Buchhandlung und habe mich nach den Preisen erkundigt, sie waren sehr hoch. Wie haben Sie denn Ihre Büchereinkäufe finanziert? Welches Fach studieren Sie?

Fuß fassen sich eingewöhnen, bekannt werden – *Menschenskind!* freundlicher, anerkennender Ausruf – *drauflos* ohne Sorgen, ohne ganz festes Ziel

Peter: Ich will Bauingenieur werden – wir sind also beide „vom Bau". Die Architekten sind die Künstler, und wir sind die Rechner. Die Architekten vertragen sich nicht immer mit den Bauingenieuren; Kunst verträgt sich nicht ohne weiteres mit Mathematik. Aber schließlich müssen wir uns doch alle zusammenfinden, wenn es um große Bauten geht. Haben Sie vor dem Studium praktisch gearbeitet?

Eric: Ja, ich habe nach der Schule Schreiner gelernt. Nach zwei Jahren Lehrzeit habe ich meine Gesellenprüfung gemacht. Ich möchte mich nämlich später einmal auf Innenarchitektur spezialisieren, da ist es gut, wenn man vom Schreinerhandwerk etwas versteht. Mein Vater sagt außerdem, daß auch einmal eine Wirtschaftskrise kommen kann. Mit einem Handwerk kann man sich immer weiterhelfen. Damit verhungert man nicht so leicht.

Peter: Ich habe es ähnlich gemacht – ich habe zwei Jahre als Betonarbeiter gearbeitet und dann meine Prüfung als Facharbeiter abgelegt. Die Betonarbeiter werden sehr gut bezahlt, ich habe mir ein schönes Stück Geld dabei verdient und damit teilweise mein Studium finanziert. Aber wir sind vom Thema abgekommen, wir sprachen ja von Ihren Lehrbüchern. Die Fachbuchhandlung für Architekten ist hier ganz in der Nähe.

Eric: Gibt es denn eigene Buchhandlungen für jedes einzelne Fach?

Peter: Nicht gerade für jedes Fach, aber für die wichtigsten Gebiete. München ist groß, und es gibt hier viele Schulen und einige Hochschulen. Eine Buchhandlung kann gar nicht alle Lehrbücher führen, und deshalb spezialisieren sich die einzelnen Geschäfte.

Eric: Ich habe gehört, daß man auch gebrauchte Lehrbücher kaufen kann. Sie sollen viel billiger sein. Ein Freund sagte mir, daß es Buchhandlungen gibt, die nur gebrauchte Bücher führen.

Peter: Sie meinen die Antiquariate? Natürlich, die gibt es. Aber alte

vom Bau sein hier: der gleichen Berufsgruppe angehören – *der Bau, Bauten* große Bauwerke; Haus, das gerade gebaut wird

Lehrbücher zu kaufen ist ein schwerer Fehler! Denken Sie doch daran, wie rasch heute die Wissenschaft auf allen Gebieten fortschreitet. Wie viele neue Baustoffe sind z. B. in den letzten Jahren verwendet worden, von denen man früher nichts wußte. Wenn Sie aus einem älteren Lehrbuch lernen, eignen Sie sich auch ein veraltetes Wissen an. Es kann Ihnen passieren, daß Sie im Examen durchfallen. Man spart am falschen Platz, wenn man antiquarische Lehrbücher kauft.

Eric: Das muß ich meinem Landsmann sagen, der studiert Germanistik. Er hat schon viele alte Bücher gekauft.

Peter: Für einen Germanisten liegen die Dinge wieder anders als für uns von der TH. Der muß sehr viel klassische Literatur lesen, und die kann er ruhig in alten Ausgaben bei den Antiquaren kaufen. Goethes „Faust" bleibt immer gleich, ob er 1850 oder 1950 gedruckt wurde – im Gegenteil, ganz alte Ausgaben sind besonders wertvoll. Die eigentlichen Lehrbücher aber sollte auch Ihr Freund neu kaufen. In jeder Universitätsbuchhandlung findet er bestimmt alles für sein Fach. – Aber meine Mittagspause ist vorbei – ich muß zur Vorlesung!

Eric: Vielen herzlichen Dank für die guten Ratschläge! Und auf Wiedersehen!

Von Büchern und vom Lesen

Peter: Guten Tag! Da sind Sie ja wieder!

Eric: Guten Tag! Fein, daß ich Sie wieder treffe. Ich habe oft an Sie gedacht und war Ihnen immer dankbar für Ihre guten Ratschläge.

Peter: Das ist ja fast eine Liebeserklärung! So schöne Worte müssen Sie sich für ein nettes junges Mädel aufsparen – Sie lernen sicher einmal eines kennen. Aber Spaß beiseite – haben Sie Lehrbücher gekauft?

Eric: Bis jetzt habe ich drei Lehrbücher gekauft.

Peter: Übrigens fällt mir ein, daß ich am Schwarzen Brett eine Anzeige gelesen habe. Ein Architekturstudent verkauft Lehrbücher, alle ganz neuwertig.

Eric: Was ist denn das – das Schwarze Brett?

Peter: Das ist eine althergebrachte Einrichtung in der Universität und in allen Hochschulen. Sie finden das Schwarze Brett in den Vorräumen. Dort wird alles bekanntgegeben, was für die Studenten wichtig ist – der Beginn der Vorlesungen, die Frist für die Einschreibung, Vorträge werden angekündigt, Bücher zum Verkauf angeboten.

Eric: Warum wohl ein Student seine neuen Lehrbücher verkauft?

Peter: Vielleicht muß er sein Studium aufgeben. Oder er will umsatteln – das tun heutzutage viele. Bei solch einer Gelegenheit kann man einmal billigere Lehrbücher bekommen – ich wiederhole aber, was ich Ihnen schon vor einigen Tagen sagte: Kaufen Sie niemals alte Ausgaben! – Und wie geht es Ihnen sonst? Was tun Sie in Ihrer Freizeit?

Eric: Ich lese viel. Ich bin ein Bücherwurm – schon auf der Schule nannten sie mich immer so. Da Sie mir verraten hatten, daß man bei den Antiquaren billige Bücher kaufen kann, bin ich sofort hingegangen. Ich war ganz begeistert: alte und neue Bücher, wie man will. Ich mußte mich sehr zusammennehmen, sonst hätte ich mein ganzes Geld dort gelassen.

Peter: So, Sie sind also ein leidenschaftlicher Leser. Ich lese auch gern – wenn man nur mehr Zeit dafür hätte.

Eric: In den ersten Semestern ist man noch nicht so eingespannt ins Studium. Diese Zeit möchte ich ausnützen und viel lesen. Die Deutschen haben eine herrliche Literatur. Und man kann dabei seine Sprachkenntnisse sehr erweitern und verbessern.

Peter: Das haben Sie kaum nötig! Was haben Sie denn gekauft?

umsatteln seinen Beruf wechseln, das Studienfach wechseln
der Bücherwurm jd., der sehr viel liest, der sich in Bücher vertieft. Ein Wurm bohrt sich in die Erde oder in das Holz hinein – *eingespannt sein in et.* sehr viel zu tun haben, so daß man nicht viel Freizeit hat

32

Eric: Ich fand einen Band von Max Frisch. Er war zwar äußerlich etwas beschädigt, aber dafür sehr billig. Und dann kaufte ich noch einen Band von Böll, den ich sehr verehre. Der Preis war ermäßigt, ich konnte mir ihn noch leisten. Jetzt habe ich für eine Weile Lesestoff und bin ganz glücklich darüber!

Peter: Sagen Sie, haben Sie nicht am Ende Ihren Beruf verfehlt? Hätten Sie nicht Germanistik oder Philosophie studieren sollen? Ich will nicht etwa Ihre Begabung für die Architektur bezweifeln – darüber kann ich gar nicht urteilen. Aber Sie scheinen doch sehr ausgeprägte Interessen in anderer Richtung zu haben.

Eric: Aber das schadet doch nicht! Ich finde es sehr traurig, wenn schon junge Leute wie wir sich nur für ein bestimmtes Fach interessieren. Gute Bücher zu lesen gehört doch einfach zum Leben. Man braucht nicht gleich einen Beruf daraus zu machen.

Peter: Da haben Sie recht. Man sollte nie einseitig werden. – Übrigens muß man Bücher nicht unbedingt kaufen, wenn man lesen will. Es gibt Büchereien, wo man Bücher leihen kann.

Eric: Wo kann man hier in München am besten Bücher leihen?

Peter: Fachbücher bekommen Sie natürlich in der Bibliothek der Technischen Hochschule. Leider ist das, was man braucht, meist ausgeliehen – es brauchen allzu viele Studenten das gleiche Buch. Man muß sich vormerken lassen und viel Geduld haben – dann bekommt man eines Tages das gewünschte Buch. Freilich hat man nicht immer Zeit zu warten. Wenn man Glück hat, kann man das Buch vielleicht bei einem Bekannten leihen. Sonst bleibt doch oft nichts anderes übrig, als es zu kaufen. – Das Bücherleihen unter Freunden ist ein Problem. Ich habe einen guten Freund, der geliehene Bücher lange nicht zurückgibt. Als ich ihn einmal mahnte, sagte er ganz beleidigt: „Wie soll ich denn zu einer Bibliothek kommen, wenn ich geliehene Bücher zurückgebe!"

die Begabung angeborene Fähigkeit – *sich vormerken lassen* sich auf eine Liste eintragen lassen

Eric:	Das ist wirklich ein guter Witz! Das muß ich mir merken. Und schöngeistige Bücher – wo kann man die leihen?
Peter:	Ich würde Ihnen sehr zur Städtischen Bücherei raten. Sie hat Ausleihstellen in jedem Stadtteil. Die Gebühren sind mäßig. Die Bibliothekare sind sehr gebildet und können Ihnen gut raten. Dort finden Sie sicher immer etwas nach Ihrem Geschmack. Es gibt dann noch private Leihbüchereien. Ich kenne sie nicht aus eigener Erfahrung und weiß auch nicht, ob man dort so gut beraten wird. – Für wissenschaftliche Bücher gibt es natürlich noch die Staatsbibliothek. Sich dort zurechtzufinden, ist nicht ganz einfach. Aber die Beamten helfen gern.
Eric:	Ich werde zunächst in die Städtische Bücherei gehen. Ich sah das Schild ganz in der Nähe meiner Wohnung, habe mich aber noch nicht hineingetraut. Jetzt fühle ich mich gar nicht mehr so fremd und verlassen hier – und das verdanke ich Ihnen und den Büchern! Aber ich darf Ihre Zeit nicht länger in Anspruch nehmen und möchte Ihnen nicht lästig fallen. Auf Wiedersehen – und haben Sie vielen herzlichen Dank!

sich zurechtfinden sich auskennen, wissen, wo man et. finden kann

Was braucht ein junger Mann in Deutschland zum Anziehen?

Mutter:	In zwei Monaten gehst du auf die Universität nach Heidelberg, Werner. Wir müssen überlegen, ob du alles hast, was du zum Anziehen brauchst. Komm, wir wollen in deiner Kommode und in deinem Kleiderschrank nachsehen.
Sohn:	Gut, Mutter, fangen wir gleich an. Hier sind meine Hemden –ein ganz stattlicher Stoß! Damit komme ich doch sicher aus!
Mutter:	Laß sehen, Werner. Drei weiße Hemden zum guten Anzug, drei einfarbige Hemden und vier gemusterte Sporthemden –

überlegen nachdenken über et. – *stattlich* ziemlich viel, ziemlich groß

ja, das ist eigentlich genug. Und hier sind die Unterhemden –
vier Netzhemden für den Sommer, und vier Unterhemden
mit kurzen Ärmeln für den Winter. Vergiß nur ja nicht, die
Unterhemden bei kaltem Wetter auch wirklich anzuziehen.
Ich glaube, daß man sich dadurch manche Erkältung er-
spart.

Sohn: Hier sind die Unterhosen. Davon habe ich nicht allzu viele.
Vielleicht könnten wir noch einige kaufen?

Mutter: Ich sage ja schon lange, daß du für den Winter noch wärmere
und längere Unterhosen brauchst. Vater trägt im Winter
lange Unterhosen. Aber du bist nicht dazu zu bewegen,
Werner!

Sohn: Ach Mutti, du mußt doch einsehen, daß ich mich nicht anziehen kann wie ein alter Herr!

Mutter: Da muß ich doch aber sehr bitten! Vater ist noch lange kein
alter Herr, er ist ein Mann in den besten Jahren!

Sohn: Natürlich, Mutti, jetzt werde nur nicht böse. Der alte Herr,
die alte Dame, das sagen eben die Studenten für Vater und
Mutter. Um aber bei der Sache zu bleiben – nein, lange
Unterhosen trägt heute kein junger Mann. Wir tragen nur
die ganz kurzen, die Slips.

Mutter: Gut. Ich weiß schon, daß man gegen eure Meinungen über
Wäsche und Kleidung nichts machen kann und daß man
nachgeben muß.

Sohn: Die Taschentücher reichen. Meist benütze ich doch nur die
Tempo-Taschentücher. – Mit den Krawatten komme ich auch
aus – man trägt ja nicht immer Krawatten. Jetzt kämen wir
zu den Anzügen.

Mutter: Laß sehen. Hier ist also der gute, dunkle Anzug. Nicht wahr,
Werner, du schonst ihn – aber nicht so sehr, daß du ihn nie

---

das Netzhemd, -en Hemd aus einem netzartigen Stoff – *zu et. zu bewegen sein* et.
tun, wenn man gebeten wird – *da muß ich aber doch sehr bitten!* energische Ablehnung, etwa: ich erlaube nicht, daß du so et. sagst – *reichen* hier: genug sein
das Tempo-Taschentuch, ᴸer Taschentuch aus Zellstoff, es wird nach dem Gebrauch weggeworfen – *auskommen mit et.* et. in genügender Menge haben – *et.
schonen* et. vorsichtig, sorgfältig behandeln

anziehst. Weißt du, auch ein Herrenanzug wird mit der Zeit altmodisch, und es ist schade, wenn man ihn zu wenig trägt. Du bist noch jung, deine Figur ändert sich. In ein paar Jahren passen dir die Anzüge nicht mehr. – Hier sind deine beiden Sakkos und drei Hosen – kommst du damit aus?

Sohn: Natürlich, Mutter! Ich kann die Sakkos immer wieder mit einer anderen Hose kombinieren. Das wirkt jugendlich und modern. – Außerdem habe ich noch meinen Sportanzug.

Mutter: Lauf nur nicht gar zu oft im Sportanzug herum, Werner! Nicht wahr, du ziehst ins Theater und zu Einladungen immer den dunklen Anzug an – dazu ein weißes Hemd und eine graue oder schwarzweiße Krawatte. Den Sportanzug hebst du dir wirklich für den Sport auf.

Sohn: Was einen Theaterbesuch oder eine Einladung betrifft, da hast du wirklich recht, Mutter. Aber sonst kann ich den Sportanzug oft tragen. Besonders bei schlechtem Wetter ist er sehr praktisch, weil er viel aushält.

Mutter: Hier ist dein Regenmantel und dein Wintermantel. Sie sind beide noch wie neu. Eigentlich bist du ja recht gut ausgestattet, nicht wahr?

Sohn: Bestimmt, Mutter! Aber einen Wunsch habe ich trotzdem noch. Könnte ich nicht einen Anorak haben? Weißt du, man braucht ihn für Wanderungen, für Bergtouren und zum Skilaufen. Bei schlechtem Wetter und im Winter trägt man ihn auch in der Stadt und zieht darunter einen warmen Pulli an. – Ein Anorak ist wirklich sehr praktisch. Er hat eine Kapuze und viele Taschen mit Reißverschluß.

Mutter: Wenn wir einen Anorak kaufen, dann wollen wir etwas wirklich Gutes aussuchen, das einige Jahre hält. Sportliche Kleidung wird nicht so schnell unmodern. – Wo hast du deine Schuhe, Werner?

Sohn: Hier, Mutter. Ich habe zwei Paar Straßenschuhe, ein Paar mit Ledersohlen für warmes Wetter und ein Paar mit Profilsohlen für schlechtes Wetter. Für den Sommer habe ich die

gut ausgestattet sein von allem, was man braucht, genügend haben

Sandalen, zum guten Anzug habe ich die schwarzen Halb-schuhe. Und hier sind meine Bergstiefel – du siehst, Schuhe habe ich genug.

Mutter: Und wie steht es mit den Socken?

Sohn: Zwei bis drei Paar Socken könnte ich noch gebrauchen.

Mutter: Gewiß, Werner, das ist ja keine große Ausgabe. Perlon-socken sind gut, sie reißen kaum und halten sehr viel aus. Und weißt du, was ich dir noch kaufen möchte? Zwei von den modernen Hemden, die du dir zur Not selbst waschen kannst und die man nicht mehr zu bügeln braucht. Vater trägt sie auf Reisen und ist begeistert davon.

Sohn: Sieh her, Mutter, hier sind meine Wollsachen. Ich habe zwei ärmellose Pullover für die Übergangszeit, zwei Pullis mit langem Arm für den Winter und zwei schöne Wollschals. Mit den Stricksachen versorgt mich ja Großmutter – sie kann offenbar ohne Strickzeug nicht leben.

Mutter: Darüber bin ich sehr froh. Gute Stricksachen sind teuer, wenn man sie fertig kauft. So, jetzt sind wir fertig. Ich muß in die Küche gehen und fürs Abendessen sorgen – Vater kommt bald nach Hause.

Von der Wohnung zum Arbeitsplatz

Helmut: Was meinst du, Werner, wie weit ist es wohl von meiner Wohnung zu meinem neuen Arbeitsplatz?

Werner: Hol einmal den Stadtplan heraus und laß uns nachsehen. Ich würde die Entfernung auf etwa 2 bis 2½ Kilometer schätzen.

Helmut: Sag einmal, was rätst du mir: Soll ich mit der Straßenbahn ins Geschäft fahren? Soll ich mir ein Fahrrad kaufen oder Kraftfahrer werden?

Werner: Nanu, Menschenskind, du wirst dir doch nicht gleich ein Auto kaufen wollen? Bist du so gut bei Kasse? Verdienst du so viel in deiner neuen Stellung?

Helmut: Ich bekomme zwar ein gutes Gehalt, aber das Leben ist teuer, und die Miete für das Zimmer ist auch nicht gerade niedrig. Nein, von meinem laufenden Einkommen könnte ich kein Auto kaufen. Aber ich habe gespart und habe ein paar hundert Mark auf der Bank. Natürlich denke ich nicht an einen neuen Wagen – das könnte ich mir nicht leisten. Ich bin ja kein Generaldirektor! Aber ein gebrauchter Wagen käme eher in Frage. Das machen doch viele junge Leute. Sieh doch die Studenten an, die fahren oft in den drolligsten alten Kutschen.

Werner: Das ist alles gut und schön, Helmut. Aber bedenkst du auch, was für Ausgaben durch einen Wagen entstehen? Jeder Kilometer, den du fährst, kostet Benzin und Öl. Dazu kommen die Versicherung, die Steuer und bei einem alten Wagen auch Reparaturen.

Helmut: Freilich, du hast recht. – Sag einmal, ein Motorrad muß doch viel billiger sein?

Werner: Natürlich, das schon. Aber jedes Ding hat Vor- und Nachteile. Lies einmal regelmäßig die Nachrichten über Verkehrsunfälle in der Zeitung. Dem Motorradfahrer geht es dabei am schlechtesten. Den Autofahrer schützt bei einem Zusammenstoß die Karosserie des Wagens, der Motorradfahrer ist immer ungeschützt. Denk auch daran, wie oft wir hier schlechtes Wetter haben. Die Kleidung leidet dann sehr. Man wird naß und schmutzig. Unter Umständen zahlst du bei der Kleidung drauf, was du am Fahrzeug sparst.
Fahrzeug sparst.

Helmut: Siehst du nicht gar zu schwarz? Schließlich läßt du nur noch das gute alte Fahrrad gelten.

gut bei Kasse sein U viel Geld haben – *schwarz sehen* bei allem an das Unangenehme, an die Gefahr zuerst denken – *et. gelten lassen* et. für richtig, für gut halten, mit et. einverstanden sein

Werner: Du darfst mich nicht mißverstehen, Helmut! Ich gönne dir bestimmt jede Freude. Auch das Fahrrad hat seine Nachteile. Der Radfahrer ist der Schwächste im Großstadtverkehr. Er ist langsamer als die motorisierten Fahrer, er kann nicht noch im letzten Augenblick schnell Gas geben und dadurch irgendeiner Gefahr entgehen. – Aber, Helmut, denkst du denn gar nicht daran, daß du ja zu Fuß gehen kannst?

Helmut: Wirklich, das hätte Vorteile! Es kostet nichts, man kommt an die Luft und hat körperliche Bewegung nach dem stundenlangen Sitzen am Schreibtisch. Unterwegs kann man sich manches durch den Kopf gehen lassen. Man guckt in die Schaufenster, von denen z. B. der Kraftfahrer nichts sieht. Der muß ja immer auf den Verkehr achten!

Werner: Das muß aber der Fußgänger auch, mein Lieber! Du kannst heute nicht mehr durch die Stadt gehen, ohne gut aufzupassen. Das würde dir schlecht bekommen!

Helmut: Wenn das Wetter einmal gar zu schlecht ist, kann ich ja mit der Straßenbahn fahren. Freilich sehe ich oft mit Schaudern, wie voll die Straßenbahnwagen sind, besonders früh um acht und nachmittags um fünf Uhr, wenn alle Berufstätigen zur Arbeitsstelle fahren oder heimfahren. Aber für mich wird schon auch noch Platz sein.

Werner: Eigentlich ist doch kein Wetter so schlecht, daß man nicht noch zu Fuß gehen könnte, wenn man nur feste Schuhe und einen guten Regenmantel hat.

An der Tankstelle

Der Kraftfahrer fährt im Volkswagen an der Tankstelle vor.

Tankwart: Guten Morgen, mein Herr! Darf ich volltanken? Wollen Sie Normalbenzin oder Super?

Fahrer: Was kostet das Benzin jetzt?

Tankwart:	Normalbenzin kostet 58 Pfennige, Super kostet 64 Pfennige. Aber Sie kommen natürlich mit Super viel weiter und der Wagen zieht ganz anders an.
Fahrer:	Für den Volkswagen genügt Normalbenzin! Tanken Sie voll, aber geben Sie bitte acht, daß nichts überläuft, sonst ist die Luft im Wagen nachher so schlecht!
Tankwart:	Selbstverständlich darf nichts überlaufen! Und soll ich Öl und Luft auch nachsehen?
Fahrer:	Ja, bitte. Ich habe vorn 1,1 und hinten 1,4 Atü.
Tankwart:	Der Druck in den Reifen war etwas zu niedrig. Jetzt sehe ich noch das Öl nach – es fehlt ein Viertelliter. Darf ich nachfüllen? Welches Öl soll es sein?
Fahrer:	Sie sehen die Ölmarke an dem Schild hier, es ist ein Öl, mit dem man im Sommer und Winter fahren kann, ich bin damit recht zufrieden! Und bitte sehen Sie auch gleich nach, wann der nächste Ölwechsel fällig wird. Ich habe es vergessen.
Tankwart:	Sie können mit dem Öl noch 300 km fahren, dann sollten Sie aber unbedingt wechseln. Bitte kommen Sie bei uns vorbei, wir erledigen das sehr rasch, Sie können darauf warten.
Fahrer:	Noch 300 km – soviel fahre ich bis Ende dieser Woche. Dann bringe ich den Wagen einmal für einige Stunden her. Bei dieser Gelegenheit können Sie ihn auch gleich abschmieren und waschen. Vom Abschmieren halte ich viel. Man sagt immer, daß das dem Wagen sehr gut tut. Ja – und dann will ich auch die Bremsen nachsehen lassen. Ich habe den Eindruck, daß sie etwas nachgelassen haben.
Tankwart:	Vielleicht sind neue Bremsbeläge notwendig? Das werden wir dann ja feststellen.

vorn 1,1 und hinten 1,4 in den Vorderrädern ein Druck von 1,1, in den Hinterrädern von 1,4 Atmosphären

abschmieren alle drehbaren Teile am Auto ölen – *der Bremsbelag,* 1e Auflage auf der Bremse

Fahrer:	Neue Bremsbeläge? Das glaube ich eigentlich nicht. Ich bin kein sehr verwegener Fahrer, der oft mit aller Kraft aufs Bremspedal tritt! Ich fahre recht vorsichtig und bremse an den Kreuzungen selten scharf. – Allzu viel will ich natürlich in den Wagen nicht mehr hineinstecken, es sind schon über 50000 km drauf. Ich werde mir bald einen neuen bestellen und dann diesen hier abstoßen.
Tankwart:	Da haben Sie sehr recht, mein Herr. So zwischen 50 und 60000 km soll man den Wagen verkaufen – oder ihn dann sehr lange behalten. Wir haben Kunden, die sind in ihren Wagen weit mehr als 100000 km gefahren, und sie tun immer noch ihren Dienst. Wenn aber der Wagen gut aussehen soll, muß man früher ein neues Modell kaufen. – Haben Sie schon überlegt, wo Sie den alten Wagen verkaufen wollen? Bitte denken Sie an uns – wir übernehmen das gern, und Sie würden bestimmt mit uns zufrieden sein. Drüben im Büro ist der Chef – wollen Sie die Sache nicht einmal mit ihm durchsprechen?
Fahrer:	Ja, das kann ich machen! *(Geht in den kleinen Zahlraum)* Also, was habe ich zu zahlen?
Chef:	30 Liter Benzin zu 58 Pfennigen, ein Viertel Liter XX-Öl – macht 18 Mark und 40 Pfennige.
Fahrer:	Sagen Sie, was rechnen Sie fürs Wagenwaschen? Und fürs Nachsehen der Bremsen?
Chef:	Wagenwaschen kostet 5 Mark, mein Herr, das Nachsehen der Bremsen 3 Mark. Wenn Sie den Wagen zum Waschen bringen, dürfen wir auch gleich dabei für den Lack etwas tun? Wir haben ein sehr gutes Konservierungsmittel, mit dem wir den Wagen nach dem Waschen absprühen könnten. Er sieht danach tadellos glänzend aus, und der Lack wird erhalten.

et. abstoßen (stieß ... ab, abgestoßen) hier: et. verkaufen (zu einem geringeren Preis, als man es gekauft hat, z. B. einen gebrauchten Wagen, Ware, die nicht zum vollen Preis verkauft werden kann)

Fahrer:	Und was kostet das?
Chef:	Konservieren kostet 10 Mark, mein Herr, aber es lohnt sich wirklich, ganz besonders wenn Sie daran denken den Wagen bald zu verkaufen.
Fahrer:	Gut, machen Sie das alles, wenn ich den Wagen bringe! Ich komme Donnerstag oder Freitag, aber ich rufe vorher noch an, und wir verabreden die genaue Zeit. Auf Wiedersehen!

Beim Arzt

Arzt:	Guten Morgen, Herr Müller! Was führt Sie zu mir?
Kranker:	Herr Doktor, ich fühle mich seit einigen Tagen nicht recht wohl. Ich bin dauernd müde, habe Kopfschmerzen und mag nichts mehr essen. Seit gestern tut mir der Hals beim Schlucken weh.
Arzt:	Haben Sie Ihre Temperatur gemessen?
Kranker:	Nein, daran habe ich, offen gestanden, nicht gedacht. Aber ich glaube, daß ich Fieber habe. Mir ist oft so heiß.
Arzt:	Nun, da wollen wir gleich einmal messen. Hier haben Sie das Thermometer, legen Sie es recht schön fest in die Achselhöhle. Waren Sie schon öfter krank? Was haben Sie früher für Krankheiten durchgemacht?
Kranker:	Ich bin eigentlich ein recht gesunder Mensch – oder wenigstens glaube ich das. Ich hatte die üblichen Kinderkrankheiten, dann hie und da einmal eine leichte Grippe oder im Winter einen Schnupfen, aber ernsthaft krank war ich noch nie.
Arzt:	Dann wollen wir hoffen, daß Sie auch diesmal rasch wieder gesund werden. So, jetzt nehmen Sie das Thermometer heraus! Achtunddreißig fünf – das ist richtiges Fieber! Bitte lassen Sie mich einmal in den Hals sehen – so, recht weit aufmachen, und jetzt sagen Sie bitte a-a-a. Die Mandeln sind rot und geschwollen. Sie haben eine Angina. Und nun machen Sie bitte noch den Oberkörper frei, damit ich das Herz und die Lungen untersuchen kann. Bitte atmen

geschwollen (unnatürlich, krankhaft) dick geworden

Sie tief und regelmäßig, so ist es gut, bitte immer so weiter. Und jetzt husten Sie einmal! Noch einmal! Jetzt atmen Sie wieder weiter. Und jetzt bitte wenig atmen. Gut, danke. An Herz und Lungen kann ich nichts Besonderes hören. Bitte ziehen Sie sich wieder an.

Kranker: Was soll ich tun gegen die Halsentzündung, Herr Doktor? Wird es lange dauern? Ich möchte bald wieder gesund werden, damit ich nicht so viel vom Unterricht versäume.

Arzt: Na, na! Nur nicht so hastig! Jetzt gehen Sie erst einmal in die Apotheke und besorgen sich das Mittel zum Gurgeln und die Tabletten, die ich Ihnen aufgeschrieben habe. Dann gehen Sie sofort heim und legen sich zu Bett. Über Nacht machen Sie sich einen feuchten Halswickel. Sie nehmen ein sauberes Tuch, tauchen es in lauwarmes Wasser, winden es aus und wickeln es um den Hals. Es muß der Haut gut anliegen. Darüber wickeln Sie ein Wolltuch, das muß unbedingt größer sein als das nasse Tuch und muß es völlig bedecken. Diesen Wickel lassen Sie über Nacht auf dem Hals. Morgen früh komme ich zu Ihnen, dann wollen wir weiter sehen. Und messen Sie früh und abends regelmäßig Ihre Temperatur.

Kranker: Vielen Dank, Herr Doktor! Ich tue bestimmt alles, was Sie mir sagen. Wie lange glauben Sie, daß ich krank sein werde?

Arzt: Ganz genau kann ich das natürlich heute, nach der ersten Untersuchung, noch nicht sagen. Aber Sie müssen damit rechnen, daß Sie eine Woche lang nicht arbeitsfähig sind. Wenn die Halsentzündung vorüber ist, dann müssen Sie sich nochmals gründlich untersuchen lassen. Erkrankungen der Mandeln können tückisch sein. Man muß achtgeben, daß es keine Komplikationen am Herzen oder an den Nieren gibt. Aber darüber sprechen wir später. Jetzt gehen Sie nach Hause ins Bett. Gute Besserung!

---

den Unterricht versäumen beim Unterricht fehlen – *hastig* eilig – *gurgeln* hier: Wasser in den Mund nehmen und damit den Hals spülen
eine tückische Erkrankung eine gefährliche Erkrankung

Vom Geldverdienen und von Werkstudenten

Wir stehen auf einem großen Platz einer Universitätsstadt, es ist Abend.

Zeitungs-verkäufer	*ruft laut:* Die Abendzeitung! Die neuesten Nachrichten! Schiffs-Katastrophe im Atlantik! Die letzten Börsenmeldungen! Die Abendzeitung! Die Abendzeitung! Eine Abendzeitung, mein Herr? Zwanzig Pfennig, bitte! – Grüß Gott, Georg!
Georg:	Wie geht's, Fritz? Was macht das Geschäft?
Z. Verk.:	Danke, ich bin zufrieden! Ich habe bald alle Zeitungen verkauft. – Die Abendzeitung! Die Abendzeitung! Mit einem Bericht über die Amerika-Reise des Bundeskanzlers! Die letzten Börsennachrichten! – Wir sehen uns morgen in der Vorlesung; auf Wiedersehen, Georg. – Die Abendzeitung!
Ausländer	*(hat soeben eine Zeitung gekauft)* Verzeihen Sie, darf ich Sie einen Augenblick stören und etwas fragen? Sind Sie Student?
Z. Verk.:	Ich studiere Medizin. Studieren Sie auch?
Ausländer:	Ja – ich bin auch Mediziner.
Z. Verk.:	Dann sind wir ja Kollegen! Was möchten Sie denn von mir wissen?
Ausländer:	Wenn es Ihnen nichts ausmacht – würden Sie mir wohl sagen, wieviel Sie ungefähr beim Zeitungsverkauf verdienen und wo man als Verkäufer eingestellt wird? Und kann man als Student auch noch auf andere Weise Geld verdienen?
Z. Verk.:	Warten Sie einen Augenblick! Ich habe fast alle Zeitungen verkauft und bin bald fertig. Die Abendzeitung! Die Abendzeitung! Die neuesten Ergebnisse in der Fußballmeisterschaft! Hier, mein Herr – Sie bekommen meine

der Werkstudent, -en Student, der das Geld für sein Studium ganz oder teilweise selbst verdient

jn stören jm unangenehm sein, weil man ihn bei et. unterbricht – *es macht mir nichts aus* es ist mir nicht unangenehm, ich tue es nicht ungern – *jn einstellen* jm eine feste Beschäftigung geben

44

	letzte Zeitung! Ausverkauft! Ich bin fertig für heute – gehen wir!
Ausländer:	Darf ich Sie begleiten?
Z. Verk.:	Aber freilich – seien Sie nur nicht so förmlich. Es wäre doch traurig, wenn schon wir jungen Leute nicht mehr ohne Umstände miteinander reden würden. Suchen Sie Arbeit? Müssen Sie Geld verdienen? Ich dachte, die Ausländer, die bei uns studieren, hätten alle so viel Geld, daß sie sorgenfrei leben könnten.
Ausländer:	Mein Vater ist sehr großzügig, er ist Kaufmann und tut für mich, was er kann. Mein Monatswechsel würde in meiner Heimat für zwei Personen reichen. Hier komme ich gerade knapp durch damit. Wenn ich die Miete, das Licht und die Heizung bezahlt habe, wenn ich rechne, was ich für Essen, für die Wäsche und für Fahrten verbrauche, dann bleibt mir nichts mehr fürs Vergnügen übrig. Ich möchte natürlich auch einmal ins Theater gehen, eine Oper oder ein Konzert hören und mir einen Film ansehen. Und deshalb möchte ich Geld verdienen.
Z. Verk.:	Dann brauchen Sie also nicht so viel zu verdienen wie ich. Mir geht es nicht gerade glänzend. Meine Eltern haben vor einigen Jahren angefangen, ein Haus zu bauen. Sie hatten gerade das Grundstück gekauft und die Bauarbeiter hatten mit der Arbeit angefangen, da starb mein Vater ganz plötzlich. Meine Mutter war sehr tapfer. Sie hat früher als Journalistin gearbeitet und es gelang ihr, in ihrem Beruf wieder Arbeit zu finden und das Haus fertig bauen zu lassen. Freilich muß sie noch Schulden abzahlen. Jetzt studieren aber in unserer Familie gleichzeitig drei Kinder – mein Bruder, meine Schwester und

ausverkauft alles ist verkauft – *förmlich* ist jd, der sehr auf die äußere Form, auf tadelloses Benehmen achtet – *ohne Umstände* ohne Förmlichkeiten – *großzügig* ist jd., der nicht kleinlich (z. B. mit Geld) ist – *der Monatswechsel*, U – Geld, das ein Student monatlich von seinen Eltern bekommt – *reichen* genügend sein – *knapp* kaum ausreichend, fast zu wenig – *der Lebensunterhalt* Geld, das man zum Leben braucht

ich. Da können Sie sich denken, daß die Monatswechsel für uns Studenten nicht groß sind. Ich bekomme wohl ein kleines Stipendium. Aber beides zusammen macht keine große Summe aus, und ich muß sehen, daß ich gut verdiene.

Ausländer: Wirklich? Da tun Sie mir aber leid! Wie schaffen Sie das denn?

Z. Verk.: Sie brauchen mich nicht zu bedauern. Es schadet nichts, wenn man während des Studiums Geld verdienen muß. Man wird nicht so weltfremd wie die Studenten, die nur über den Büchern sitzen; man lernt das Leben auch von anderen Seiten kennen, nicht nur in der Universität.

Ausländer: Und wie ist das nun mit der Zeitung?

Z. Verk.: Ach ja, richtig! Also ich gehe abends um sechs zum Gebäude der Abendzeitung in der Schillerstraße. Dort bekomme ich die Mütze mit dem Schild, die Tasche und den Umhang, auf dem „Abendzeitung" steht. Denn die Zeitung will natürlich, daß man uns gleich erkennt. Ich bekomme für den Abend ein Fixum von 15 DM und muß dafür 200 Zeitungen verkaufen. Wenn ich mehr verkaufe, bekomme ich von jeder Zeitung 5 Pfennige. Sie sehen – der Verdienst ist nicht schlecht, und ich verliere damit kaum Zeit. Denn am Abend kann man doch nicht mehr viel lernen.

Ausländer: Ich finde es großartig, wie Sie das machen. Sie sind ein guter Zeitungsverkäufer und betreiben das Geschäft mit viel Schwung. Ich wurde gleich auf Sie aufmerksam, so laut haben Sie gerufen. – Und wie kann man sonst noch Geld verdienen?

Z. Verk.: Da gibt es verschiedene Möglichkeiten. Man kann Nachhilfestunden geben. In der Zeitung werden immer Stu-

---

das Stipendium, Stipendien finanzielle Hilfe, durch die der Staat oder eine Organisation das Studium möglich macht – *et. schaffen* hier: et. erreichen, fertig bringen – *das Fixum* ein Betrag, der auf jeden Fall ausbezahlt wird – *mit Schwung* mit Energie und Freude, mit Elan – *die Nachhilfestunde, -n* Privatstunde, die einem Schüler helfen soll, bessere Noten zu bekommen

denten gesucht, die Unterricht geben in Mathematik, Latein oder Fremdsprachen. Sehr viel verdient man dabei nicht, und man muß viel Zeit opfern. Man muß zum Schüler in die Wohnung gehen und sich danach richten, wann der frei hat. Aber viele Studenten bringen sich damit durch und haben einen ganzen Schülerkreis.

Ausländer: Und was könnte man sonst noch tun?

Z. Verk.: Es gibt in der Universität beim Studentenwerk eine eigene Stelle für Arbeitsvermittlung. Es gibt Arbeiten, die man während des Semesters annehmen kann, und Arbeiten während der Ferien. In den Ferien kann man eine ganztägige Arbeit annehmen und gut verdienen. Sehr viel verdient man z. B. als Hilfsarbeiter auf einem Bau. Aber das ist auch eine schwere Arbeit. Außerdem leiden die Kleidung und die Schuhe sehr darunter. Wenn im Winter viel Schnee fällt, kann man als Schneeräumer arbeiten. Man fängt in den frühen Morgenstunden an und wird sehr gut bezahlt. Schneeräumen ist natürlich eine Gelegenheitsarbeit. Verlassen kann man sich darauf nicht. – Viele Büros, die großen Versicherungen, Geschäfte und Verlage stellen Studenten als Arbeitskräfte ein. Das erfahren Sie alles beim Studentenwerk.

Ausländer: Können Studentinnen auch Geld verdienen? Zugleich mit mir sind nämlich aus meiner Heimat einige junge Mädchen hierhergekommen, die auch studieren. Sie haben den gleichen Wunsch wie ich, sie möchten etwas Geld verdienen.

Z. Verk.: Studentinnen haben es sogar leichter als wir, sie finden immer Arbeit, wenn sie nur etwas vom Haushalt und vielleicht noch von Kindern verstehen. Hier bei uns ist der Mangel an Hilfskräften für den Haushalt sehr groß.

sich durchbringen (brachte ... durch, durchgebracht) das verdienen, was man unbedingt braucht – *auf dem Bau* dort, wo ein Gebäude errichtet wird – *der Schneeräumer,* – Mann, der den Schnee von der Straße wegschafft – *die Gelegenheitsarbeit, -en* Arbeitsmöglichkeit, die nicht regelmäßig gegeben ist – *sich auf et. verlassen (verließ, verlassen)* sicher sein, daß man et. bekommt, daß et. richtig ist

Wenn eine Studentin sich nicht scheut, zu putzen, zu waschen oder zu kochen, dann findet sie immer stundenweise Arbeit und wird recht gut bezahlt. – Übrigens werden auch von den Hausfrauen oft Studenten gesucht, die z. B. Teppiche klopfen. – Haben Sie schon vom Studenten-Schnelldienst gehört?

Ausländer: Nein. Was ist denn das?

Z. Verk.: Der Schnelldienst hat ein eigenes Büro mit Telefon. Wer sofort eine Arbeitskraft braucht, der ruft dort an. Im Büro warten ständig Studenten oder Studentinnen, die gerade Zeit haben, auf Arbeit, und diese wird ihnen dort vermittelt. So wird beiden Teilen geholfen – den Arbeitgebern und den Arbeitnehmern. Dort kann man am besten schnell ein paar Mark verdienen, und man braucht keine langdauernden Verpflichtungen einzugehen.

Ausländer: Ausgezeichnet! Das werde ich zunächst einmal versuchen, und werde es auch den Studentinnen aus meiner Heimat sagen. Vielen Dank für die Auskunft und für Ihre Freundlichkeit.

Arbeit vermitteln jn, der Arbeit sucht, mit jm zusammenbringen, der Arbeiter braucht – *eine Verpflichtung eingehen* sich verpflichten, sich binden

Wer bezahlt? – Ein heikles Kapitel

Ben: Guten Abend, Stefan! Störe ich dich? Kann ich ein paar Worte mit dir sprechen?

Stefan: Komm nur herein, Ben! Kann ich etwas für dich tun?

Ben: Stefan, ich brauche deinen Rat. Ich bin gestern abend mit Renate ausgegangen, wir wollten zum Tanzen gehen. Aber stell dir vor, wir hatten Krach miteinander. Renate lief einfach davon und ging allein nach Hause.

heikel schwierig, delikat – *stell dir vor!* (U) denke dir nur! – *Krach haben* (eigentliche Bedeutung von Krach – Lärm) Streit haben, sich streiten

Stefan: Wie ist es denn dazu gekommen?

Ben: Es handelte sich ums Zahlen. Darüber konnten wir uns gar nicht einigen. Ich hatte Renate gebeten, mit mir in ein Café zu gehen, und deshalb wollte ich natürlich für uns beide die Zeche bezahlen. Renate lehnte das aber rundweg ab und wollte für sich selbst bezahlen. Das war für mich eine Beleidigung, und das sagte ich ihr auch. Dadurch habe ich sie aber offenbar tief gekränkt. Natürlich war das nicht meine Absicht und ich kann Renate gar nicht verstehen. Wenn ich mit einer jungen Dame ausgehe, dann ist es doch klar, daß ich bezahle. Kann es darüber denn überhaupt eine andere Meinung geben? In meiner Heimat jedenfalls nicht. – Jetzt will Renate nichts mehr von mir wissen und geht wahrscheinlich nie mehr mit mir aus. Das tut mir so leid.

Stefan: Na, ihr werdet euch schon wieder versöhnen. Hier in Deutschland ist es eben nicht selbstverständlich, daß der Herr die ganze Zeche bezahlen muß, wenn er mit einer Dame ausgeht.

Ben: Wirklich? Ja, soll ich denn die Dame zahlen lassen? Das geht ganz gegen mein Gefühl, muß ich sagen.

Stefan: Früher hat auch bei uns in Deutschland der Herr die Zeche für die Dame mit bezahlt. Meine Großmutter erzählt oft von ihrer Jugend, und daher weiß ich das. Schon in der Generation meiner Mutter aber wurden die Frauen selbständiger. Sie fingen an, zu studieren, oder sie bildeten sich für einen anderen Beruf aus. Später hatten sie ihr eigenes Einkommen. Sie fanden es unrecht, und sie waren zu stolz dazu, einen Mann für das bezahlen zu lassen, was sie verbrauchten. Das ist doch eigentlich ganz vernünftig und auch anständig gedacht, meinst du nicht?

Ben: Ich weiß nicht recht ... diese Gedanken sind für mich sehr fremd und ungewohnt.

sich verabreden et. ausmachen, sagen, daß man et. gemeinsam tun will
die Zeche, -n hier: Rechnung in einer Gaststätte
rundweg absolut, unbedingt – *et. ablehnen* et. nicht tun wollen, nein sagen zu et.
er hat für die Dame mitbezahlt er hat auch für die Dame bezahlt

Stefan: Du wirst dich aber an sie gewöhnen müssen. Seit die Frauen arbeiten und verdienen wie die Männer, muß man auf ihre Ansichten Rücksicht nehmen, finde ich. – Renate ist in einem Modesalon angestellt und hat ein gutes Gehalt. Sie ist stolz darauf, daß sie von niemandem etwas annehmen muß. Diesen Stolz hast du verletzt mit deinem Versuch, für euch beide zu bezahlen. Aber ich werde ihr alles erklären, du wirst deine Ansichten ändern, und dann seid ihr wieder gute Freunde.

Ben: Wie soll ich es aber z. B. mit Erika halten? Erika ist Studentin, sie verdient noch nichts. Ihre Eltern waren so freundlich zu mir – sie haben mich oft zum Essen eingeladen.

Stefan: In diesem Falle kannst du ruhig versuchen, für Erika zu zahlen, wenn ihr gemeinsam ausgeht. Du wirst ja sehen, wie sie darauf reagiert, und du kannst ihr vorsichtig erklären, daß du dich zu einer kleinen Gegenleistung verpflichtet fühlst. Wenn Erika entschieden ablehnt und selbst zahlen will, dann gib nach.

Ben: Man lernt nie aus! Es ist nicht einfach, sich in Deutschland zurechtzufinden. Du kennst doch meinen Freund Pierre. Der hat ganz andere Erfahrungen gemacht, als er mit einer Dame ausging.

Stefan: So? Erzähle! Das interessiert mich sehr.

Ben: Pierre ging vor zwei Wochen ins Volkstheater, in ein lustiges Stück. Neben ihm saß eine junge Dame – sehr hübsch, sagte er, etwas zurechtgemacht. Er kam in der Pause mit ihr ins Gespräch und lud sie nach dem Theater zu einem Glas Wein ein. Sie ging auch mit und hat gar nicht versucht, zu bezahlen. Es blieb nicht bei dem einen Glas Wein, sondern die Dame entwickelte einen gesunden Appetit und ließ sich ein ganzes Abendessen gut schmecken.

es halten mit jm sich gegen jn verhalten
die Gegenleistung, -en et., was man als Dank für eine Leistung, für eine Freundlichkeit tut – *sich verpflichtet fühlen zu* glauben, daß man et. tun muß – *nachgeben* sich einer anderen Meinung fügen, et. tun, was ein anderer unbedingt will, man selbst aber eigentlich nicht
zurechtgemacht hier: geschminkt

Stefan: Entschuldige, Ben, aber diese Dame war keine Dame!

Ben: Warte, ehe du urteilst. Pierre hatte sich ein wenig in die Kleine verliebt und traf sich nach ein paar Tagen noch einmal mit ihr. Er wollte ihr eine Freude machen und kaufte ihr eine Handtasche. Auch das nahm sie ohne Zögern an.

Stefan: Höre, dieses Fräulein gefällt mir immer weniger. Sage Pierre einen schönen Gruß von mir! Meiner Meinung nach ist er an die unrechte Adresse geraten und es wäre besser, sich beizeiten zurückzuziehen.

an die unrechte Adresse geraten U zu jm kommen, zu dem man nicht will, sich irren

Kleine Geschenke erhalten die Freundschaft

So pflegt man in Deutschland zu sagen. Wer als Ausländer nach Deutschland kommt, dem liegt sehr viel daran, mit Deutschen bekannt zu werden. Nur dadurch lernt er die Deutschen und Deutschland wirklich kennen. Am schönsten ist es, wenn eine Familie ihn einlädt. Man wird zum Mittag- oder Abendessen, zum Kaffee oder Tee oder auch nach dem Abendessen eingeladen. Unter gut erzogenen Menschen ist es selbstverständlich, daß man solche Einladungen nicht annimmt, ohne sich irgendwie erkenntlich zu zeigen. Man könnte die freundlichen Gastgeber selbst einmal einladen. Das wird aber nicht immer möglich sein. In ein möbliertes Zimmer kann man kaum Gäste bitten. Nur wenn es sich um junge Leute handelt und die Wirtin freundlich zustimmt, kann man eine Einladung wagen. Man könnte auch die Familie des Gastgebers in eine Gaststätte bitten und dort auf eigene Kosten bewirten. Das kostet viel Geld und würde den deutschen Freunden kaum zusagen. Es bleibt also nichts übrig, als durch kleine Aufmerksamkeiten und Geschenke seine Dankbarkeit zu zeigen.

sich erkenntlich zeigen, zeigen, daß man dankbar ist – *et. sagt jm zu* et. ist ihm recht, ist ihm angenehm

Man bringt der Frau des Hauses Blumen mit, wählt aber weder ein ganz winziges Sträußchen noch einen ungewöhnlich teuren Strauß. Beim Einkauf im Blumenladen läßt man sich fünf oder sieben Rosen, Nelken oder Tulpen zusammenbinden und einwickeln. Ehe man sie der Dame des Hauses überreicht, entfernt man das Papier. Wenn man weiß, daß die Gastgeber Blumen sehr gern haben, kann man für gute Bekannte auch eine Topfpflanze wählen. – Sind Kinder im Hause, dann macht man ihnen mit Süßigkeiten eine Freude. In den Schokoladengeschäften gibt es Tiere und Früchte aus Schokolade oder Marzipan und Schokoladentafeln in netter Verpackung. – Ist man zu einer Geburtstagsfeier eingeladen, dann bringt man vielleicht ein anderes Geschenk mit. Allerdings muß man das Geburtstagskind ein wenig kennen und wissen, was Freude bereiten würde. Ein gutes Buch z. B. hat bleibenden Wert. Man geht in eine Buchhandlung, sagt dem Verkäufer das Geschlecht, das Alter und den Beruf des Geburtstagskindes und spricht vielleicht noch über seine Interessen und Liebhabereien. Wir sagen auch, wieviel wir für unser Geschenk ausgeben wollen. Dann wird der Buchhändler wissen, was er uns vorlegen soll, und wir werden keinen Mißgriff tun.

Es gibt Dinge, die man unter gut erzogenen Menschen nicht ohne weiteres schenken darf. Z. B. darf ein Herr einer Dame keinerlei Kleidungsstücke schenken und auch keinen Schmuck. Solche Dinge können nur nahe Angehörige einander schenken, nicht aber Bekannte.

der Mißgriff, *-e* hier: schlechte Wahl

Ich wurde eingeladen!

Fritz: Guten Tag, Hossein, wie geht's, wie steht's? Was ist los mit dir, hast du Kummer?

Hossein: Ach, mir fehlt nichts weiter, nur ... ich ...

Fritz: Heraus mit der Katze aus dem Sack! Wo drückt dich der Schuh? Kann ich dir irgendwie helfen?

die Katze aus dem Sack (lassen) U sagen, was los ist, was einen beschäftigt, was man weiß – *wo drückt der Schuh?* U was bedrückt dich?, was beschäftigt dich?

Hossein: Ich habe von Herrn Meißner eine Einladung bekommen. Das ist die Familie, die ich im Park kennengelernt habe. Sie waren so freundlich zu mir – und jetzt soll ich zu ihnen zum Abendessen kommen.

Fritz: Das ist großartig, Hossein! Darüber mußt du dich doch freuen!

Hossein: Du hast gut reden, Fritz! Du bist hier zuhause und weißt, wie du dich als Gast in einer anderen Familie benehmen mußt. Aber ich weiß das nicht. Wir haben daheim ganz andere Sitten und Gebräuche.

Fritz: Aber Hossein, ich kenne dich gar nicht wieder. Du bist doch sonst immer zuversichtlich und vergnügt. Bestimmt machst du dir diesmal ganz unnötige Sorgen. Schließlich wissen Meißners, daß du Ausländer bist. Was macht dir denn Schwierigkeiten bei dieser Einladung?

Hossein: Sehr vieles! Zwar weiß ich, was ich anziehen soll. Daß ich der Dame des Hauses Blumen mitbringe und den Kindern Süßigkeiten, ist ja selbstverständlich. Aber schon mit der Zeit weiß ich nicht genau Bescheid. Herr Meißner schrieb mir, daß ich um halb acht Uhr kommen soll – muß ich nun pünktlich dort sein, oder nimmt man es damit nicht so genau?

Fritz: Du mußt schon pünktlich kommen, denn die Hausfrau wartet ja mit dem Essen auf dich. Die Familie kann sich nicht zu Tische setzen, wenn du nicht da bist. Zu früh darfst du nicht kommen, dann sind deine Gastgeber vielleicht noch nicht fertig mit ihren Vorbereitungen. Länger als eine Viertelstunde solltest du sie aber nicht warten lassen. Du mußt also zwischen 19 Uhr dreißig und 19 Uhr fünfundvierzig bei Meißners sein. Solltest du dich durch irgendeinen Zufall verspäten, – man hat manchmal Pech mit der Straßenbahn – dann mußt du dich sehr entschuldigen.

---

et. nicht so genau nehmen et. nicht wichtig nehmen, sehr (zu) großzügig sein – *Pech haben* kein Glück haben

Hossein:	Wie soll ich mich benehmen, wenn ich bei Meißners ins Haus komme?
Fritz:	Wenn sie eine Hausangestellte haben, wird sie die Tür öffnen und dir helfen, den Hut und den Mantel abzulegen. Du sagst freundlich Guten Abend, gibst ihr aber nicht die Hand. Viele Familien haben keine Angestellten, denn Hilfskräfte für den Haushalt sind knapp und sehr teuer. Dann öffnen vielleicht die Kinder die Tür. Die freuen sich sicher sehr auf dich und werden dich herzlich begrüßen. Im Zimmer warten Herr und Frau Meißner auf dich. Du begrüßt erst Frau Meißner, danach ihren Gatten. Man wird dich zum Sitzen auffordern, und du setzt dich ohne alle Förmlichkeiten. Manche altmodischen Leute sagen bei jeder Gelegenheit „Ich bin so frei", wenn sie eingeladen werden. Das ist aber nicht mehr üblich, es klingt spießbürgerlich. Wahrscheinlich wird man sich ein paar Minuten mit dir unterhalten, dann wird es heißen „Bitte zu Tisch!"
Hossein:	Vor diesem Augenblick habe ich Angst, Fritz. Wie soll ich es nur anfangen, beim Essen nichts verkehrt zu machen?
Fritz:	Aber so schwierig ist das gar nicht. Es gibt einen kleinen Kniff, Hossein: Beobachte unauffällig die anderen, die mit dir am Tisch sitzen. Schau ihnen einen Augenblick zu, wie sie essen. Dann machst du es einfach nach. Du darfst dich nicht zu Tische setzen, ehe die Hausfrau sitzt, das weißt du, nicht wahr? Und ebenso stehst du nicht auf, ehe sie nach dem Essen aufgestanden ist.
Hossein:	Was wird es wohl bei Meißners zu essen geben? Bei uns daheim dauert ein Essen endlos lang, wenn man Gäste hat, und man trägt so viel auf, wie man nur irgend bezahlen kann. Man ist es den Gästen schuldig, daß alles möglichst gut und reichlich ist. Wer es nicht so macht, würde seine Gäste beleidigen.

knapp hier: selten, zu wenig
spießbürgerlich kleinlich, beschränkt – *der Kniff*, *-e* hier: Kunstgriff, irgendeine kleine Sache, wodurch man et. besser machen kann

Fritz: Bei uns denkt man darüber anders. In den meisten Familien muß der Haushalt praktisch eingerichtet werden, man muß darauf achten, daß jede unnötige Arbeit vermieden wird. Außerdem ist uns das Zusammensein und die gute Unterhaltung wichtiger als das Essen. – Ich weiß nicht, ob Meißners dir ein warmes Essen vorsetzen werden oder ein kaltes. Ein warmes Abendessen besteht gewöhnlich aus Suppe, Hauptgericht mit Beilagen und Nachtisch.

Hossein: Neulich sah ich in einem Restaurant, daß die Suppe in Tassen serviert wurde. Das war mir ganz neu.

Fritz: Das ist auch nicht immer üblich! Gewöhnlich ißt man die Suppe aus einem Suppenteller. Er ist tiefer als der Teller für die anderen Speisen. Wenn du die Suppe gegessen hast, dann läßt du den Löffel im leeren Teller liegen. Der Griff des Löffels zeigt nach rechts. Der Löffel wird mit dem Teller abgetragen.

Hossein: Solche Einzelheiten muß man wissen. Bitte erkläre mir noch mehr!

Fritz: Aber Hossein, du hast doch schon öfter mit mir gegessen und weißt, wie man bei uns ißt. Ich will es dir nochmals kurz sagen: Fleisch wird mit Messer und Gabel gegessen. Wenn Knochen im Fleisch sind, dann entfernt man das Fleisch mit dem Besteck so gut es geht. Die Knochen schiebt man auf den Tellerrand. In die Hand nehmen und abnagen darf man sie nicht. Ich habe gehört, daß man darüber z. B. in Frankreich anders denkt.

Hossein: Wenn man Fisch ißt, gelten aber wieder andere Regeln, nicht wahr?

Fritz: Fisch wird nicht mit dem Messer gegessen. Es gibt eigene Fisch-Bestecke, aber nicht jede Familie hat sie. Man kann Fisch mit zwei Gabeln essen, oder man nimmt in die rechte

et. vermeiden (vermied, vermieden) hier: nicht geschehen lassen, es nicht dazu kommen lassen

Knochen abnagen in die Hand nehmen und das Fleisch herunteressen

Hand die Gabel, in die linke ein Stückchen Brot und hilft sich damit. Beim Essen von Fisch gibt es Ausnahmen von der Regel: Einfache Fischsorten wie z. B. Heringe ißt man mit Messer und Gabel. Weiche Fischsorten aus Konservendosen wie z. B. Ölsardinen zerteilt man nur mit der Gabel.

Hossein: Darf man immer beliebig viel Brot essen? Mir schmeckt das deutsche Brot so gut.

Fritz: In manchen Häusern gibt es schon zur Suppe Brot oder Brötchen. Man beißt in eine Scheibe Brot oder in eine Semmel nicht einfach hinein. Trockenes Brot bricht man entzwei, bestrichene oder belegte Brote ißt man mit Messer und Gabel. Sind die belegten Brötchen sehr klein, so kann man die Brötchen auch ohne Besteck essen.

Hossein: Außer Fisch darf man aber alles mit dem Messer zerschneiden, nicht wahr?

Fritz: Eigentlich nicht. Die Beilagen zum Fleisch - Gemüse, Kartoffeln, Nudeln, Klöße usw. - sollte man mit der Gabel zerteilen. Man benützt das Messer nur dazu, sie auf die Gabel zu schieben. - Ein Rest Soße bleibt auf dem Teller. Den darfst du nicht mit dem kleinen Löffel essen, der noch da liegt. Der ist nämlich für den süßen Nachtisch bestimmt, den dir Meißners sicher vorsetzen werden.

Hossein: Ah, Nachtisch! Ich esse süße Sachen für mein Leben gern - du auch, Fritz?

Fritz: Sieh mal einer an - du bist eine Naschkatze! Dann wirst du ja auch wissen, daß man/Kuchen und Torten mit einer Kuchengabel ißt, nicht etwa mit dem Kaffeelöffel. Der ist übrigens nur zum Umrühren da, man führt ihn überhaupt nicht zum Mund.

Hossein: Und wenn nun keine Kuchengabel da ist - was dann?

Fritz: Trockenes Gebäck und einfache Kuchensorten ißt man mit der Hand. Hier gilt das Gleiche wie beim Brot - man bricht kleine Stückchen ab.

Hossein: Was wird es wohl zu trinken geben bei Meißners?

Fritz: Wahrscheinlich wird man zum Essen ein Glas Bier trinken. Man trinkt erst, wenn der Mund leer ist und man den Bissen hinuntergeschluckt hat, und man trinkt natürlich nicht übermäßig viel. – Nach dem Essen wird vielleicht noch Wein getrunken. Da gibt es eine kleine Regel in Versen! Man sagt: „Wein nach Bier, das rat' ich dir, Bier nach Wein, das laß sein!"

Hossein: Darf man immer zugreifen, wenn Speisen und Getränke angeboten werden?

Fritz: Es hat keinen Sinn, sich zu zieren – das wäre wieder spießbürgerlich. Man zeigt, daß man gern nimmt und dankt freundlich dafür. Wenn einem ein Gericht sehr gut schmeckt, kann man ruhig noch ein zweites Mal davon nehmen – öfter aber eigentlich nicht. Auch beim süßen Nachtisch und bei Kuchen und Torten, die dir so gut schmecken, darfst du nicht unbescheiden werden.

Hossein: Aber nein, Fritz, niemals! Ich bin dir so dankbar, daß du mir so viel erklärt hast. Jetzt fürchte ich mich nicht mehr vor dem Abend bei Meißners – jetzt freue ich mich darauf.

zugreifen (griff . . . zu, zugegriffen) sich (z. B. beim Essen) et. nehmen
sich zieren so tun, als ob man nicht wollte, obwohl man will

Kino oder Theater – das ist die Frage!

Wir haben die ganze Woche hindurch angestrengt gearbeitet – jetzt ist das Wochenende da, und wir wollen uns ein Vergnügen gönnen. Wo ist die Zeitung? Was ist heute abend los? Hier sind die Anzeigen! Oper: „Die Zauberflöte". Residenztheater: „Der eingebildete Kranke". Kammerspiele: „Der Besuch der alten Dame". Volkstheater:

„Die Fledermaus". Und nun die Kinos – da ist die Auswahl noch viel größer. Hier zeigen die großen Lichtspielhäuser an: Regina-Lichtspiele: „Die letzte Brücke", Filmburg: „Ein Tag wie jeder andere" – und so weiter, man kann sie gar nicht alle vorlesen, so viele sind es. Zunächst müssen wir uns entscheiden: Wollen wir ins Theater oder ins Kino gehen? Ob wir überhaupt noch Theaterkarten für heute abend bekommen? Wenn man in die Oper oder in eines der großen Theater gehen will, dann muß man die Karten einige Tage vorher oder schon eine Woche vorher im Vorverkauf besorgen. Am Samstag früh beginnt der Verkauf der Karten für die kommende Woche. Dann muß man zur Stelle sein, wenn man nicht allzu viel Geld für eine Karte ausgeben will. Die Theatervorstellungen fangen gewöhnlich um neunzehn Uhr dreißig an. Viele Opern beginnen aber noch früher, die großen Wagneropern z. B. schon um achtzehn Uhr. Man muß also abends rechtzeitig mit der Arbeit fertig werden, um den Anfang nicht zu versäumen. Vorher möchte man auch noch essen. Dann muß man sich umziehen, denn schon im Vorraum und in den Wandelgängen des Theaters trifft man nur gut gekleidete Menschen.

Aber vielleicht ist die Vorstellung im Theater schon ausverkauft? Der frühe Anfang paßt uns nicht – wir wissen nicht, ob wir rechtzeitig hinkommen. Und wir sind heute so müde – das Theater wäre zu anstrengend. Das Kino ist bequemer. Wir brauchen uns nicht umzuziehen. In welche Vorstellung gehen wir – um 16 Uhr, um 18 Uhr oder erst um zwanzig Uhr dreißig? Um 16 Uhr scheint noch die Sonne, und wir gehen um diese Zeit lieber spazieren. Danach wollen wir in Ruhe essen – also gehen wir in die letzte Vorstellung um 20 Uhr 30. Was sagst du – eine Theatervorstellung ist wertvoller als ein Film, Filme sind keine Kunstwerke? Das stimmt aber nicht immer. Freilich gibt es im Kino viel Schund und Kitsch. Es werden Verbrechen und Laster dargestellt, nur um den Menschen etwas Neues zu bieten. Aber solche Filme sehen wir uns nicht an! Wir kennen die Namen der großen, berühmten Schauspieler und wissen: Dieser oder jener Schauspieler gibt sich für einen schlechten Film nicht her. Manche Kinos spielen nur

Schund und Kitsch wertloses, geschmackloses Zeug – *sich für et. hergeben* et. tun. was man eigentlich nicht tun sollte

gute, ernsthafte Filme, andere bevorzugen Lustspiele. Wieder andere spielen schlechte, minderwertige Filme. Dort gehen wir nicht hin! Natürlich kann man in jedem Kino einmal eine Enttäuschung erleben. Wir hofften, einen guten Film zu sehen, aber die Handlung war dürftig, die Schauspieler haben uns nicht gefallen. Ärgern wir uns nicht! Die Kinokarte war nicht sehr teuer. Das nächste Mal werden wir sorgfältiger wählen und noch genauer überlegen, in welches Kino wir gehen wollen. Wäre nicht doch das Theater besser gewesen? Im Theater wird man selten völlig enttäuscht. Nehmen wir uns also vor: Am kommenden Samstag wollen wir gleich früh den Wochenspielplan der Theater durchsehen. Ist etwas wirklich Schönes dabei, dann wollen wir sofort die Karten besorgen!

dürftig mangelhaft, inhaltslos, sehr unbedeutend

Lieben Sie Musik?

Eine junge Dame und ein Herr in mittleren Jahren kommen in ein Café. Eine Musikkapelle spielt.

Herr: O weh, hier wird ja Musik gemacht!

Dame: Mögen Sie Musik nicht? Dann gehen wir wieder und suchen ein Lokal, wo es ganz ruhig ist.

Herr: Ich mag Musik gern. Allerdings kommt es darauf an, welche Art von Musik gemacht wird. Wir wollten uns doch ein wenig unterhalten – glauben Sie nicht, daß die Musik uns stören wird?

Dame: Kommen Sie, wir suchen einen Platz, der etwas entfernt von der Kapelle ist – dort hinten ist ein freier Tisch, ich glaube, dort sitzen wir gut.

Herr: Ja, ausgezeichnet! – Was möchten Sie haben, Fräulein Inge? Ein Eis? Gut. Und mir bringen Sie bitte einen Kaffee. So – hier sitzen wir ganz gemütlich.

Dame: Sie sagten vorhin, daß Sie Musik gern mögen. Was für Musik haben Sie am liebsten?

Herr: Also, Fräulein Inge, ich muß Ihnen gestehen, daß ich einen etwas altmodischen Geschmack habe. Ich bin ja auch nicht mehr jung und habe schließlich schon graue Haare.

Dame: Hören Sie, alt sehen Sie wirklich nicht aus. Ich habe Sie in Verdacht, daß Sie sich mit Ihren grauen Haaren interessant machen wollen. Sie gehören doch sicher nicht zu den altmodischen Leuten, die nur eine Beethovensonate und allenfalls noch ein altes deutsches Volkslied als Musik gelten lassen?

Herr: Ich spiele selbst seit meiner Jugendzeit Klavier. Mein Musiklehrer gab Unterricht an der Akademie der Tonkunst, und da wurde vor allem die ernsthafte klassische Musik gepflegt. Ich höre und spiele mit Vorliebe Bach und habe mich natürlich mit den Werken aller anderen großen Musiker beschäftigt. Ich kenne kaum etwas Schöneres als ein wirklich gutes Konzert. Gehen Sie auch in Konzerte, Fräulein Inge?

Dame: Ja, sehr gern sogar. Vorgestern war ich in einem Konzert der Philharmoniker. Sie spielten Mozart, Schubert und Schumann. Es war ein Jugendkonzert, der Eintritt kostete nicht viel. Und es ist immer hübsch, wenn der ganze große Konzertsaal in der Tonhalle voll junger Leute ist.

Herr: Haben denn die jungen Leute heute noch Interesse für die klassische Musik?

Dame: Aber natürlich! Wir können z.B. gar nicht genug Bach hören. Jedes Bachkonzert ist ausverkauft. Genau so geht es mit der Oper. Stundenlang stehen wir dort Schlange, um noch einen Stehplatz zu bekommen.

---

et. gestehen (gestand, gestanden) die Wahrheit sagen – *jn in Verdacht haben* von jm et. (meist Schlechtes) glauben

Herr: Das freut mich aber sehr. Ich habe geglaubt, daß die Jugend sich heute nur noch für Schlager und für Beat interessiert. Und das ist für meine Begriffe keine Musik. Sie verdient diesen Namen gar nicht.

Dame: Schlager nehmen auch wir jungen Leute nicht allzu ernst. Man braucht sie zur Unterhaltung, vor allem zum Tanzen. Ich gebe zu, daß es da viel geschmackloses Zeug gibt. „Schnulzen" kann ich auch nicht leiden.

Herr: Was verstehen Sie unter Schnulzen?

Dame: Ach, kitschige, rührselige Musikstücke, an denen alles unecht ist – die Worte, die Melodie und die Art, wie sie gespielt und gesungen werden. Aber Kitsch kann man nicht ausrotten. Ein großer Teil der Menschen braucht ihn offenbar.

Herr: Sie haben den Nagel auf den Kopf getroffen. Wenn ich nur begreifen könnte, was die Jugend am Beat findet. Dieses wilde Geheul und dieser Krach sollen schön sein? Mit Musik hat das doch wirklich nichts zu tun. Wie ist es möglich, daß man sich für die schöne, klassische Musik interessiert und sich doch auch für Beat begeistern kann? Können Sie mir das erklären, Fräulein Inge?

Dame: Ich weiß, das können alle älteren Menschen – Verzeihung, ich meine alle, die nicht mehr ganz jung sind, – schwer einsehen. Was habe ich deswegen schon mit meinen Eltern für Auseinandersetzungen gehabt! Vater geht einfach aus dem Zimmer, wenn Beatmusik im Radio kommt. Unsere herrlichen Beat-Platten, die wir so lieben, dürfen wir nur spielen, wenn die Eltern nicht zuhause sind. Dabei verträgt sich beides gut miteinander – die Vorliebe z. B. für Bach und für den Beat. Sehen Sie, Jazz und Beat ist einfach die Musik unserer Zeit.

---

für meine Begriffe meiner Meinung nach

et. ausrotten et. vollkommen vernichten – *rührselig* so, daß man (ohne eigentl. Grund) weinen muß

den Nagel auf den Kopf treffen et. ganz Richtiges sagen (denken, tun) – *sich für et. begeistern* Enthusiasmus für et. haben, sich sehr (oft auch laut) an et. freuen

et. einsehen et. verstehen, begreifen – *die Auseinandersetzung, -en* ernsthafte Diskussion

Jazz hat zunächst nichts mit Schlagern zu tun, ja nicht einmal mit Tanz. Die Schlagerkomponisten machen sich den Jazz zunutze und ahmen ihn nach. Aber echter Jazz ist das nicht.

Herr: Jazz ist doch die Musik der Neger, nicht wahr?

Dame: Ja, die Neger waren die ersten, die Jazz spielten – zunächst ohne Noten. Aber um Himmels willen, sagen Sie nur nicht, daß Jazz Urwaldmusik ist! Im Urwald, bei den Eingeborenen in Afrika, gibt es nämlich keinen Jazz. Jazz ist dort entstanden, wo das Leben der Neger und ihr oft schweres Schicksal auf die Musik der weißen Rasse traf. Aus New Orleans in Amerika kam der erste Jazz.

Herr: Ich merke, daß Sie eine Autorität in diesen Fragen sind. Und was ist nun schön an Jazz und Beat, Fräulein Inge? Bitte sagen Sie mir das.

Dame: Sehen Sie, die klassische Musik ist wunderbar. Sie macht uns aber manchmal recht ernst, ja sogar traurig. Es gibt langsame Sätze von Beethoven, da muß ich einfach weinen. Aber bei Jazz und Beat werden wir alle froh. Wir fühlen uns erleichtert und befreit – ja, manchmal auch ein wenig wie losgelassen. Welcher junge Mensch hat das nicht gern?

Herr: Der Krach, die schrillen Mißtöne, das wilde Durcheinander – stört Sie das gar nicht?

Dame: Aber nein! Das ist doch lustig, man möchte am liebsten mittun oder dazu tanzen. – Meine Eltern sind mit einer bekannten Geigerin befreundet, bei uns zuhause wird viel Musik gemacht und auch oft darüber gesprochen. Diese Geigerin sagte einmal, daß es für Musik eine Altersgrenze gibt. Wenn man ein bestimmtes Alter erreicht hat, versteht man die allerneueste Musik nicht mehr. Vielleicht kann man das auf Jazz und Beat anwenden. – Am liebsten möchte ich Ihnen einmal einige von meinen schönsten Platten vorspielen. Sie würden Ihnen bestimmt gefallen. Und haben Sie denn schon einmal Neger-Spirituals gehört – die geistlichen Lieder der amerikanischen Neger?

der Krach: sehr lautes Geräusch – *schrill* laut und disharmonisch

Herr: Ja, die haben mir großen Eindruck gemacht. Es spricht echte Frömmigkeit daraus. Da wir gerade von Liedern sprechen – sagen Sie, Fräulein Inge, gesungen wird wohl heutzutage gar nicht mehr unter den jungen Leuten? Es gibt so schöne deutsche Volkslieder. Wir haben in unserer Jugendzeit viel gesungen!

Dame: Das kenne ich auch aus meinem Elternhaus. Meine Mutter hat viel mit uns gesungen, als wir noch Kinder waren. Und Sie haben recht – wir jungen Leute singen heute kaum mehr. Volkslieder werden in Jugendverbänden gesungen, aber sonst passen sie irgendwie nicht mehr zu unserem Leben in der Stadt und in die Welt der Technik. Das ist schade, aber nicht zu ändern, fürchte ich. Man kann das Alte nicht künstlich am Leben erhalten, wenn man ehrlich sein will. Jede Zeit hat ihren eigenen musikalischen Stil.

Herr: Wir müssen gehen, Fräulein Inge! Ober, bitte zahlen! Was Sie mir da erzählt haben, war mir sehr interessant. Ich werde mir erneut Mühe geben, Jazz und Beat zu hören und zu verstehen – und zugleich die Jugend von heute.

Die Frau von heute

In Deutschland, ja in ganz Europa lebten die Frauen in früheren Zeiten ganz in ihren Familien und in ihrer Häuslichkeit. Die verheiratete Frau sorgte für ihren Mann und für die Kinder, andere Aufgaben gab es kaum für sie. Die unverheiratete Frau blieb im Haushalt der Eltern. Starben diese, so wurde sie von anderen Verwandten aufgenommen. Selbständige, alleinstehende Frauen gab es in früheren Zeiten kaum.

Das hat sich in den letzten 50 Jahren grundlegend geändert. Die rasche Entwicklung der Industrie hat in den meisten europäischen Ländern den Frauen Arbeiten abgenommen, die früher im Haus erledigt werden mußten. Denken wir nur daran, daß noch vor hundert Jahren die Frauen z. B. selbst Seife kochten, Garn und Wolle spannen und Stoffe webten. Das alles ist heute nicht mehr nötig, diese Arbeiten besorgen die Maschinen in den Fabriken! Die Kräfte und die Zeit vieler Frauen wurden dadurch für andere Aufgaben frei.

Dann haben die beiden Weltkriege (1914-1918 und 1939-1945) das Leben der Völker sehr verändert. In den meisten europäischen Ländern gibt es heute mehr Frauen als Männer, denn Millionen von Männern haben in den beiden Kriegen ihr Leben lassen müssen. Dazu kommt, daß Frauen im allgemeinen länger leben als Männer. Die Ärzte berichten, daß sie zäher sind und manche Krankheiten besser überstehen. Schon im frühesten Kindesalter sind die Buben empfindlicher als die Mädchen. Alle diese Umstände haben dazu geführt, daß fast alle jungen Mädchen einen Beruf erlernen, der sie unabhängig macht.

In unserer Zeit liebt man es, die Meinungen der Menschen über die verschiedensten Fragen zu erforschen. Man veranstaltet Umfragen. Es gibt Institute, die sich eigens mit Meinungserforschung befassen. Auf diese Weise hat man auch junge Mädchen in Deutschland gefragt, was sie vom Leben erwarten und wünschen. Dabei stellte sich heraus, daß sie nicht anders denken als die jungen Mädchen auf der ganzen Welt. Die meisten hoffen, eines Tages zu heiraten und Kinder zu haben. Es sind dies nun einmal die natürlichen Aufgaben der Frau. Leider ist man aber gegen die Wechselfälle des Lebens noch keineswegs gesichert, wenn man dieses Ziel erreicht. Die verheiratete Frau kann ihren Mann verlieren und eines Tages als Witwe oder als geschiedene Frau dastehen. Der Mann kann im Beruf Unglück haben. Er kann seine Stellung verlieren, kann arbeitslos werden oder als Kaufmann mit seinen Geschäften Unglück haben. Wie gut ist es, wenn die Frau in solch einer Krise nicht hilflos ist, wenn sie etwas gelernt hat. Viele Frauen haben in schweren Zeiten ihre Familien über Wasser gehalten, entweder durch eigene Arbeit, oder indem sie ihrem Mann beistanden und ihm halfen, eine neue Existenz aufzubauen. - In der

sein Leben lassen sterben (im Krieg, durch Unfall) - *zäh* hier: ausdauernd
jn (sich) über Wasser halten hier: das Notwendigste verdienen

Bundesrepublik Deutschland haben Frauen und Männer nach der Verfassung die gleichen Rechte, sie sind gleichberechtigt. Daher stehen den Frauen heute grundsätzlich alle Berufe offen. Die große Masse der Mädchen besucht die Volksschule vom 6.–14. Lebensjahr. Dann fangen die Mädchen in der Landwirtschaft, im Haushalt, in einem Geschäft oder einer Fabrik zu arbeiten an. Wollen sie es in einem Beruf weiter bringen, so gehen sie in die Lehre. Sie können ein Handwerk erlernen und z. B. Schneiderin oder Friseuse werden. Auch in Gaststätten, in vielen Geschäften und Büros werden Lehrlinge eingestellt. Nach dreijähriger Lehrzeit legen sie eine Prüfung ab. Sie sind dann Gesellinnen, werden in der Regel besser bezahlt und bekommen interessantere Arbeiten als die ungelernten Arbeitskräfte.

Viele Mädchen möchten es noch weiter bringen. Sie verlassen die Volksschule nach der 4. Klasse und besuchen eine Mittelschule bis zu ihrem 16. Jahr. Sie lernen Fremdsprachen, Maschinenschreiben und Kurzschrift. Dann stehen ihnen kaufmännische Berufe und Stellen bei den Behörden offen. – Noch mehr Möglichkeiten haben die jungen Mädchen, die eine neunklassige Oberschule besucht und die Reifeprüfung abgelegt haben. Sie können die Universitäten und alle anderen Hochschulen besuchen (Technische Hochschulen, Kunstakademien, Akademien der Tonkunst, landwirtschaftliche und tierärztliche Hochschulen). Dadurch ist für sie der Weg zu den akademischen Berufen frei. Immer größer wird die Zahl der Frauen, die als Ärztinnen, Juristinnen, Lehrerinnen, Tierärztinnen usw. tätig sind. In früheren Zeiten war das nicht möglich. Die Frauen haben jahrelang schwer darum kämpfen müssen, daß sie ihre Ausbildung, ihre Arbeit und ihren Beruf genau so wählen können wie die Männer.

Diese ganze Entwicklung ist an den Frauen von heute natürlich nicht spurlos vorübergegangen. Es ist wahrscheinlich kein Zufall, daß die Kleidung und das Aussehen der Frau manchen männlichen Zug zeigen. Manche Frauen tragen ihr Haar kurz. Eine Frau in Hosen fällt auf der Straße nicht mehr auf. Wohl gibt es noch ältere Menschen, denen diese neuen Sitten nicht gefallen. Ändern kann man sie aber nicht mehr, man muß sich damit abfinden. Die Frau von heute fährt Auto oder Fahrrad und treibt Sport. Sie könnte sich in der

Kleidung, die ihre Großmutter oder Urgroßmutter trugen, gar nicht so bewegen, wie es das Leben fordert. Ob damit die weiblichen Eigenschaften, die der Mann von jeher an der Frau schätzt und sucht, verdrängt werden? Wurde die Frau vermännlicht, weil sie im Beruf und im Leben „ihren Mann stehen" muß und will? Oder trügt der äußere Schein? Ruht hinter aller Tüchtigkeit und Tatkraft der Frau von heute nicht doch wie immer die Fähigkeit, zu lieben und für andere Menschen dazusein? Das Für und Wider dieser Fragen wird in Deutschland lebhaft erörtert, in vielen Gesprächen, in Zeitungen, Zeitschriften und Büchern.

Wie denken Sie darüber? Wie ist die Lage der Frauen in Ihrem Heimatland? Halten Sie die Zustände in Deutschland für gut und würden Sie für Ihr Vaterland das Gleiche wünschen? Oder haben Sie andere Ansichten über die Rechte der Frauen und die Art, wie sie leben sollen?

Was tun wir an einem Sonntag im Winter?

Inge: Der Freitag ist der schönste Tag der Woche – ich freue mich immer auf das Wochenende!

Hans: Nein Inge, Samstag und Sonntag sind am schönsten! Da ist man frei und kann tun und lassen, was man will. Warum gefällt dir denn der Freitag so gut?

Inge: Weißt du, Hans, am Freitag hat man das freie Wochenende noch vor sich. Natürlich ist auch der Sonntag ein schöner Tag. Man liegt länger im Bett und frühstückt behaglich. Dann genießt man das gute Mittagessen. Aber am Sonntag-Nachmittag ist es oft schon ein wenig langweilig. Man wird sogar ein bißchen traurig, weil der Sonntag schon fast vorüber ist. Geht dir das nicht auch so, Hans?

Hans: Langeweile und Traurigkeit am Sonntagnachmittag? Das muß man verhindern können, Inge! Hör zu: Wir wollen uns für den kommenden Sonntag etwas vornehmen, auf das wir uns die ganze Woche freuen können. Wir machen ein richtiges Programm, das den Tag ausfüllt. Dann muß der Sonntag schön werden.

Inge: Einverstanden! Und was schlägst du vor?

Hans: Wie wär's, wenn wir ins Gebirge zum Skilaufen fahren?

Inge: Glaubst du, daß der Schnee schon ausreicht zum Skilaufen?

Hans: Wir müssen am Samstagabend im Rundfunk die Wettermeldungen hören. Kommst du am Samstagvormittag in die Stadt? Dann geh bitte an einem Sportgeschäft vorbei, dort werden die Wettermeldungen und die Schneehöhen der einzelnen Orte immer bekanntgegeben.

Inge: Hast du deine ganze Ausrüstung in Ordnung? Ich muß meine Sportsachen erst noch gründlich nachsehen.

Hans: Du, das hättest du aber schon längst tun sollen. Hast du ein gutes Wachs für deine Skier? Vielleicht ist der Schnee noch naß und pappig. Sieh an deinen Skistöcken nach, ob die Teller noch fest am Stock sitzen. Einen guten Anorak hast du ja, und einen kleinen Rucksack auch. Wie steht es mit den Handschuhen? Nimm unbedingt ein zweites Paar im Rucksack mit, und auch ein zweites Paar warme Socken. Ein bißchen Verbandzeug für alle Fälle stecke ich ein. Und nimm nicht zu viel Proviant mit, wir gehen doch in eine Hütte zum Essen.

Inge: Ich nehme eine Tafel Schokolade mit und einige belegte Brote, mehr nicht. Wohin wollen wir fahren?

Hans: Ich schlage vor, daß wir an den Spitzingsee fahren. Dort sehen wir dann, wo der Schnee am besten ist und auf welchen Berg wir gehen wollen.

Inge: Gehen? Aber Hans, im Spitzing-Gebiet gibt es so viele Bergbahnen und den Skilift. Da werden wir doch nicht mühsam auf einen Berg steigen!

Hans: Sieh mal einer an – seit wann bist du so bequem? Ich bin durchaus fürs Steigen, Inge. Wenn man auf dem Gipfel mit der Bahn ankommt, ist einem meist recht kalt. Die Muskeln sind steif

pappig klebrig – *die Hütte*, *-n* hier: bescheidenes Unterkunftshaus auf den Bergen

vom langen Sitzen. So fährt man ab, und deshalb passieren so viele Unfälle – schwere Stürze, Verrenkungen und Knochenbrüche. Wenn man dagegen auf den Berg steigt, kommt man warm und durchtrainiert oben an. Die Muskeln haben schon gearbeitet. Dann ist man der Abfahrt viel besser gewachsen.

Inge: Müssen wir sehr früh aufstehen, wenn wir an den Spitzingsee fahren wollen?

Hans: Der Autobus geht um sechs Uhr dreißig, du mußt also schon um fünf Uhr heraus aus den Federn.

Inge: Huh – um fünf! Am Sonntagmorgen!

Hans: Ein Langschläfer darf man nicht sein, wenn man Wintersport treiben will. Vorigen Winter konntest du noch nicht so gut skilaufen, da fuhren wir meist nur ins Isartal und mußten nicht so früh aufstehen. Aber heuer kannst du dir schon mehr zumuten und schon eine richtige Abfahrt wagen. Du wirst sehen, wie herrlich es im Gebirge an einem schönen Wintertag ist. Wenn die Sonne auf die weiten Schneehänge scheint oder wenn die Bäume im Rauhreif dastehen – das sind Bilder, die man nie vergißt.

Inge: Wenn aber noch nicht genug Schnee liegt fürs Skilaufen, was machen wir dann?

Hans: Wir könnten trotzdem ins Gebirge fahren und auf einen Berg steigen. Allerdings müssen wir uns einen gut gebahnten Weg aussuchen. Es kann um diese Jahreszeit immer einmal ein plötzlicher Wettersturz kommen, ein Schneesturm könnte uns überraschen. Man muß sehr vorsichtig sein im Gebirge.

Inge: Wir könnten auch in der Stadt etwas unternehmen, wenn das Wetter nicht gut ist, Hans. Hast du nicht Lust zum Schlittschuhlaufen? Man ist dabei auch in der frischen Luft, man hat Bewegung und muß nicht so viel Zeit und Geld für die Fahrt opfern wie beim Skilaufen. Ich gehe gern auf den Eisplatz. Die Musik spielt, man trifft Bekannte, und wenn man müde wird, dann ist man bald wieder daheim.

einer Sache gewachsen sein et. sehr gut aushalten, machen können – *aus den Federn* aus dem Bett – *sich et. zumuten* von sich et. verlangen, fordern

Hans: Wir können auch schlittschuhlaufen gehen, obwohl es mich mehr ins Gebirge zieht, muß ich gestehen.

Inge: Wir können es auch so machen: Vormittag gehen wir schlittschuhlaufen. Wir treffen uns um neun Uhr auf dem Eisplatz. Wenn wir etwa drei Stunden gelaufen sind, haben wir sicher genug Bewegung gehabt. Dann kommst du mit zu uns zum Mittagessen – meine Mutter hat bestimmt nichts dagegen und freut sich, wenn du kommst. Und für den Nachmittag lade ich Maria und Ernst zum Kaffee ein, wir machen es uns in meinem Zimmer gemütlich.

Hans: Das ist auch ein guter Plan. Ich freue mich, wenn ich Ernst wieder einmal sehe. Wir können dann ja nach dem Kaffee noch ein wenig spazierengehen.

Inge: Es könnte sein, daß das Wetter am Sonntag ganz schlecht wird und man nicht schlittschuhlaufen kann. Was machen wir dann, Hans?

Hans: Dann gehen wir in eine Ausstellung! Es gibt so viele interessante Dinge zu sehen, daß man sich manchmal geradezu schlechtes Wetter wünscht, um Zeit für die Ausstellungen zu haben. Am Samstag steht ja immer in der Zeitung, was am Sonntag alles los ist und wann die Ausstellungen geöffnet sind. Dann wollen wir entscheiden, was uns am meisten interessiert.

Inge: Jetzt haben wir wirklich für jeden Fall einen guten Plan – mag das Wetter schlecht werden oder gut, mag es wenig Schnee geben oder viel. Der nächste Sonntag wird bestimmt nicht langweilig, das weiß ich heute schon.

es zieht mich (ins Gebirge) ich möchte sehr gern (im G.) sein, (ins G.) fahren – *geradezu* direkt

Pläne für einen Sonntag im Sommer

Richard: Kinder, endlich ist das Wetter warm und schön! Morgen ist Sonntag! Was fangen wir an?

Klaus: Eins steht fest: wir bleiben nicht zu Hause. Einen schönen Sonntag im Sommer muß man im Freien verbringen.

Stefan: Jawohl! Wir wollen heraus aus der Stadt. Es fragt sich nur, wie – zu Fuß, mit dem Rad, oder mit dem Auto.

Richard: Ich schlage vor, daß wir baden gehen. Und wir wollen Hossein mitnehmen. Man darf einen Kollegen aus dem Ausland nicht allein lassen.

Klaus: Recht hast du, Richard! Ich werde Hossein verständigen. Also gut, gehen wir baden. Und wohin wollt ihr gehen?

Stefan: Nicht in ein städtisches Bad, das gefällt mir nicht.

Richard: Warum denn nicht? Das Michaeli-Bad ist wirklich schön und gepflegt. Es sind herrliche alte Bäume dort, sehr schöne Blumenbeete, und das Wasser in den Schwimmbecken ist sauber.

Stefan: Das mag ja alles sein. Aber ich gehe nur werktags ins Stadtbad, wenn ich nicht Zeit genug habe, um aus der Stadtheraus zu fahren. Am Sonntag ist das Stadtbad meist so überfüllt, daß das Baden dort kein Vergnügen mehr ist.

Klaus: Ich muß Stefan recht geben, und ich sehne mich danach, einmal wieder eine größere Strecke zu schwimmen. Fahren wir doch hinaus an den Starnberger See.

Richard: Mit dem Starnberger See wäre ich sehr einverstanden – aber wie kommen wir hinaus? Es geht gegen das Ende des Monats, und ich habe kaum mehr Geld. Können wir nicht irgendwo schwimmen gehen, wo es gar nichts kostet?

Stefan: Menschenskind, eine Sonntagsfahrkarte nach Starnberg ist doch wirklich keine große Ausgabe. Ich kann dir das nötige Geld gern leihen. Das willst du nicht annehmen? Gut, wir

das steht fest ist sicher

können auch mit dem Rad nach Starnberg fahren. Die 25 km schaffen wir leicht in zwei Stunden, und dann kostet uns die Fahrt keinen Pfennig.

Richard: In der Badeanstalt muß man aber auch noch Eintritt bezahlen. Frei baden kann man am Starnberger See kaum mehr, das ganze Ufer ist bebaut.

Klaus: Hört mal, ich weiß einen Ausweg: Fahren wir in nördlicher Richtung, hinaus an den Baggersee. Das sind nur wenige Kilometer Entfernung, mit den Rädern sind wir gleich draußen. Dort können wir frei baden, da kostet uns der Sonntag gar nichts.

Richard: Großartig – das machen wir. Hallo – hier kommt ja Hossein! Du kommst wie gerufen, wir wollten dich ohnehin besuchen. Freust du dich auch so über das schöne Wetter? Wir fahren am Sonntag an den Baggersee zum Schwimmen. Kommst Du mit?

Hossein: Sehr nett von euch, an mich zu denken. Ein andermal komme ich sehr gern mit. Diesen Sonntag aber veranstaltet der Asta (Allgemeiner Studentenausschuß) eine Fahrt ins Gebirge für ausländische Studenten, und da fahre ich mit.

Stefan: Großartig, Hossein! Und wohin fahrt ihr?

Hossein: Wir fahren nach Garmisch und Mittenwald und wollen auf die Dammkarhütte gehen. Wer Lust hat und gut trainiert ist, kann dann von dort aus noch eine Bergtour machen – mein Freund Zyrus und ich möchten auf die Karwendelspitze.

Klaus: Seid nur vorsichtig, Hossein! Im Gebirge muß man sich auskennen. Seid ihr denn überhaupt richtig ausgerüstet?

Hossein: Was braucht man denn alles für eine Bergtour?

Richard: Lieber Himmel, schaut euch diesen ahnungslosen Jungen an! Er will ins Gebirge und hat keine Ahnung von der Ausrüstung. Hossein, daß dir nur nichts passiert.

---

das Ufer ist bebaut es stehen überall Häuser – *der Baggersee* künstlicher See, aus einer großen Kiesgrube entstanden – *ausgerüstet sein* alles für eine bestimmte Sache Notwendige haben

Hossein: Was soll mir denn passieren? Es geht doch ein erfahrener Bergführer mit uns.

Richard: Na, dann bin ich beruhigt! Du darfst es mir nicht übelnehmen, Hossein, daß ich nicht viel Zutrauen habe zu deinen Fähigkeiten als Bergsteiger. Aber wie viele junge Leute sind in den Bergen tödlich verunglückt.

Hossein: Ja, ich weiß. Ich bin immer ganz entsetzt, wenn die Zeitungen wieder von einer Berg-Katastrophe berichten. Woran liegt es denn, daß so viele Menschen in den Bergen verunglücken?

Stefan: Sehr oft an der Unerfahrenheit und am Leichtsinn! Viele Menschen kommen aus dem Flachland, sie sind das Bergsteigen gar nicht gewöhnt. Sie nehmen sich eine Hochtour vor und können nicht abschätzen, ob ihre Kräfte dazu ausreichen. Oft sind sie nicht schwindelfrei. An steilen, abschüssigen Stellen verlieren sie die Nerven. Und dann kennen sie sich mit dem Wetter nicht aus. Sie steigen bei ungünstigem Wetter auf einen hohen Berg. Es kommen Nebel, Regen oder gar Schnee und plötzliche Kälte. Dann erreichen sie ihr Ziel – eine Hütte – nicht mehr und erfrieren oder sterben an Erschöpfung.

Klaus: Wenn du eine Hochtour machst, Hossein, mußt du dich bei einem erfahrenen Einheimischen erkundigen, ob das Wetter sicher ist und ob es ratsam ist, den Berg zu besteigen. Viele Unglücksfälle sind darauf zurückzuführen, daß unerfahrene Bergsteiger die Warnung von Einheimischen nicht beachtet haben. Ich erkundige mich immer beim Hüttenwirt, wie das Wetter wird.

Hossein: Das werde ich auch tun! Was muß man sonst noch beachten bei einer Bergtour?

woran liegt es, daß was ist der Grund dafür, daß – *die Unerfahrenheit* zu: unerfahren, von einer bestimmten Tätigkeit (hier: Bergsteigen) nichts wissen – *abschätzen* kalkulieren, ungefähr berechnen – *schwindelfrei* frei von Schwindel, unsicheres Gefühl z. B. beim Blick in größere Tiefen
abschüssig steil abfallend, sehr steil – *der Einheimische* jd, der dort daheim ist – *es ist ratsam* man kann dazu raten

Richard: Zieh dich vor allem richtig an, Hossein! Hast du ordentliche Bergstiefel? Sie müssen eine gute Profilsohle haben, damit du nicht rutschst, und sie sollen dem Fuß um den Knöchel einen festen Halt geben. Zieh deine Kordsamthose an – weißt du, die Kniehose, die ist fürs Gebirge gut geeignet. Und ein Flanellhemd hast du ja auch. Übers Hemd ziehst du einen Pullover. Wenn dir zu heiß wird beim Steigen, dann steckst du ihn in den Rucksack – aber du mußt unbedingt einen warmen, wollenen Pullover oder eine Wolljacke mitnehmen. Denke daran, daß es um so kälter wird, je höher du hinauf kommst. Im Tal ist oft warmes Frühlingswetter, aber oben auf den Gipfeln bläst noch ein eisiger Wind. Nimm deshalb auch für alle Fälle ein Paar warme Handschuhe und ein zweites Paar Wollsocken mit. Auch deinen Anorak brauchst du unbedingt. Und stecke eine Tafel Schokolade, etwas Traubenzucker und ein paar Brote ein. Eine Flasche mit Tee kann man auch immer brauchen.

Hossein: Vielen Dank für eure guten Ratschläge. Ich werde sie alle befolgen. Nächsten Sonntag, wenn das Wetter wieder so schön ist, müßt ihr mit mir an den Ammersee fahren. Zyrus leiht mir seinen Wagen – das wird fein. Ich bin gut bei Kasse zur Zeit. Wir mieten uns ein Segelboot und fahren damit auf dem See herum, ja?

Stefan: Hast du das große Los gewonnen, Hossein? Segeln ist teuer. Wir können ja auch ein Ruderboot mieten – rudern macht auch Spaß und kostet weniger.

Hossein: Sagt einmal, habt ihr in letzter Zeit Max und Franz einmal gesehen? Ich habe lange nichts mehr von ihnen gehört!

Klaus: Ich traf Max gestern zufällig. Die beiden sind ja im Handballklub und sind sehr mit Handballspielen beschäftigt. Am kommenden Sonntag haben sie ein Wettspiel.

Hossein: Darum sieht man die beiden gar nicht mehr. Spielt ihr nicht mit?

Klaus: Nein, ich bin kein Handballspieler. Gelegentlich spiele ich Tennis, aber nicht sehr gut.

Richard:	Weißt du, Hossein, er spielt Tennis nur bei dringenden Anlässen, nämlich mit einer gewissen netten jungen Dame.
Klaus:	Hör auf, Richard, ich verbitte mir deine Anspielungen.
Richard:	Aber Klaus, du wirst doch noch ein wenig Spaß verstehen? Ich habe es wirklich nicht böse gemeint. Mir gefällt das junge Mädchen, mit dem ich dich zuletzt beim Tennisspielen sah, sehr gut.
Hossein:	Und was macht ihr am Sonntagabend?
Stefan:	Wenn wir nicht zu müde sind, gehen wir noch ein wenig tanzen. Wir wollen in den Siegesgarten gehen. Gertrud, Brigitte und Erika kommen mit. Wenn du Lust hast, komm doch auch noch hin!
Hossein:	Vielen Dank, wenn es möglich ist, komme ich gern. Aber wahrscheinlich werde ich am Sonntagabend sehr müde und froh sein, wenn ich im Bett bin.
Klaus, Richard, Stefan:	Dann ein andermal, Hossein! Alles Gute, Bergheil! Gib gut acht auf dich, daß du gesund wieder kommst und dir nichts passiert! Auf Wiedersehen!

gelegentlich manchmal – *sich et. verbitten* (*verbat, verbeten*) = jm et. verbieten (*verbot, verboten*) – *die Anspielung, -en* indirekter Hinweis, flüchtige Erwähnung – *Bergheil!* Gruß der Bergsteiger

Auf dem Zeltplatz

Ben und Zyrus sind zwei junge Ausländer, die in Deutschland studieren. Sie haben sich ein Zelt besorgt und alles, was dazu gehört. Sie verbringen die Pfingstferien auf einem schönen Zeltplatz an den Ufern eines kleinen Sees in Oberbayern.

Ben:	Du, Zyrus, sieh dir einmal unauffällig unsere Nachbarn zur Linken an! Nette junge Mädel sind das, nicht? Sie sind

sich et. besorgen kaufen, hier: leihen

74

	offenbar nicht nur hübsch, sie können auch kochen! Ein Duft zieht da zu uns herüber – das Wasser läuft mir im Mund zusammen.
Zyrus:	Weißt du, Ben, richtige Zeltler sind wir noch nicht. Vom Kochen haben wir keine Ahnung. Wir nähren uns kümmerlich von Brot, Käse und Wurst. Wenn wir etwas Warmes essen wollen, müssen wir hinüber ins Städtchen gehen.
Ben:	Was man nicht kann, das muß man eben lernen!
Zyrus:	Aber wie?
Ben:	Wir müssen versuchen, die Mädel von nebenan kennenzulernen. Auf einem Zeltplatz ist das doch nicht schwer. Komm, wir probieren es. Sei nicht so schüchtern!
Zyrus:	Ben, vergiß nicht, wir sind doch Fremde hier. Wir können noch nicht fehlerfrei deutsch. Sie werden uns auslachen oder uns einen Korb geben.
Ben:	Wer nicht wagt, gewinnt nicht – siehst du, wie gut ich schon deutsche Sprichwörter kann. Los, komm!

Sie gehen zum Nachbarzelt.

	Guten Abend! Bitte, dürfen wir uns einmal Ihr Zelt ansehen? Es ist besonders groß und schön. Wir bewundern es schon lange.
Inge:	Guten Abend! Ja, sehen Sie sich ruhig unser Zelt an. Gertrud, wie sieht es denn drin aus? Kann man unsere Nachbarn einmal hineinsehen lassen?
Gertrud:	Freilich – schauen Sie nur hinein! Wir haben viel Platz, nicht wahr? Unser Vater hat uns ein großes und wetterfestes Zelt gekauft. Es hat schon schwere Stürme und Unwetter tadellos überstanden. Erinnerst du dich noch an die Nacht am Chiemsee, Brigitte, und an das schwere Gewitter damals? Am Morgen stand der Zeltplatz unter Wasser. Aber

das Wasser läuft mir im Mund zusammen ich bekomme große Lust auf etwas, was ich zwar sehe, aber nicht bekommen kann – *jm einen Korb geben* sagen, daß man mit jm nicht zusammen sein will

et. überstehen (überstand, überstanden) (aus einer schweren Situation) heil, unbeschädigt davonkommen – *das Unwetter* schweres Gewitter

unser Zelt hat vollkommen dicht gehalten, und wir krochen ganz trocken heraus.

Brigitte: Gefällt es Ihnen hier? Haben Sie schon viel gezeltet?

Ben: Wir finden es hier großartig! Wir zelten das erste Mal. Wir sind Ausländer und studieren in München. Darf ich mich vorstellen? Ich heiße Ben und das ist mein guter Freund Zyrus.

Inge: Ich heiße Inge Wenz, meine Schwestern heißen Brigitte und Gertrud. Wir haben schon oft gezeltet, manchmal zelten auch unsere Eltern mit.

Zyrus: Ja, man sieht, daß Sie sehr viel Übung haben. Wir bewunderten schon aus der Ferne Ihre Kochkünste.

Brigitte: Wir kochen uns immer etwas Gutes. Man wird so hungrig von der Luft und vom vielen Schwimmen. Aber warum kochen Sie gar nicht? Haben Sie keinen Kocher mit?

Ben: O ja, das schon! Aber wir müssen gestehen, daß wir nicht kochen können. Wir gehen immer hinüber in die Stadt zum Essen, das ist leider sehr teuer.

Gertrud: Wissen Sie was: Wir zeigen Ihnen, wie man kocht, oder wir kochen für Sie! Im Fischgeschäft in der Stadt gibt es vorzügliche Fische, die werden hier im See gefangen. Sie sind immer ganz frisch und gar nicht teuer. Fahren Sie doch rasch hinüber, kaufen Sie vier Fische, für jeden von Ihnen zwei, und ich brate sie Ihnen heute abend.

Zyrus: Wirklich, das wollen Sie tun? Das ist sehr kameradschaftlich. Ben, komm! Fahren wir gleich!

Gertrud: Vier Fische, ja? Verlangen Sie vier Renken, die sind besonders gut.

Ben und Zyrus kommen nach einer halben Stunde mit einem vollen Einkaufsnetz wieder. Sie lachen so sehr, daß sie kaum sprechen können.

Gertrud: Was ist denn los, warum lachen Sie?

Ben: Stellen Sie sich vor, Fräulein Gertrud, was passiert ist. Sie hatten uns aufgetragen, vier Fische zu kaufen. Wir wollten

die Renke, -n Süßwasserfisch

76

aber mehr haben, denn natürlich müssen Sie und Ihre Schwestern mit uns essen, das ist doch klar. Acht Fische wollten wir also kaufen.

Zyrus: Und jetzt müssen wir gestehen, daß wir mit den Zahlen noch ein wenig auf Kriegsfuß stehen und nicht sehr genau wußten, was „acht" auf deutsch heißt. Ich sah schnell im Wörterbuch nach und verlangte dann – nach meiner Meinung! – acht Fische.

Ben: Die Verkäuferin im Fischgeschäft sah uns sehr erstaunt an – wir begriffen nicht, warum. Sie machte den großen Eisschrank auf und fing an, die Fische darin zu zählen. Sie holte den Chef – der zählte mit. Dann überlegten die zwei und berieten miteinander. ‚Achtzig Fische wollen Sie, mein Herr?' fragte der Chef schließlich zögernd. Und da merkten wir erst, daß Zyrus achtzig gesagt hatte statt acht!

Zyrus: Ich hielt schnell acht Finger hoch, und das Mißverständnis klärte sich auf. Stellen Sie sich vor, wir wären hier mit achtzig Fischen angerückt. Da hätten alle Menschen auf dem Zeltplatz mitessen können.

mit et. auf dem Kriegsfuß stehen mit et. nicht gut fertig werden, et. nicht gut können

Was wundert uns in Deutschland?

Wir wundern uns über die verschiedensten Dinge, je nachdem ob wir aus dem Osten oder aus dem Westen nach Deutschland kommen. In den ersten Jahren nach dem letzten Kriege kam ein junger Mann aus Persien am Bahnhof einer deutschen Großstadt an. Seit langer Zeit hatte er sich auf Deutschland gefreut, er hatte sich das ganze Land wie ein Paradies vorgestellt. Wie enttäuscht war er, daß der Bahnhof noch Spuren der schweren Zerstörung aus Kriegszeiten zeigte. Dann aber kam er in die Stadt und sah, wie fleißig überall gebaut wurde. Er wunderte sich über das Tempo. Wie schnell wuchsen die Gebäude in die Höhe, wie rasch waren sie fertig! Dagegen stellte eine junge Dame aus Amerika fest, daß dies alles bei ihr daheim noch viel schneller ginge. Sie fand, daß die Bauten nur langsam größer wurden. – Der Student aus dem Orient wunderte sich, wie freundlich und umgänglich die Professoren sind, wie schlicht sie gekleidet sind. In seiner Heimat sind die Professoren viel unnahbarer, man begegnet ihnen mit ganz besonderer Hochachtung. – Unsere amerikanische junge Dame dagegen wunderte sich über die akademische Freiheit in Deutschland. Der Student kann hören und belegen, was er will, er ist nicht so sehr an einen festen Studienplan gebunden wie in den angelsächsischen Ländern. Freilich müssen alle Studenten bestimmte Pflichtvorlesungen hören. Sonst aber können sie sich aus dem reichhaltigen Vorlesungsverzeichnis aussuchen, was sie interessiert. Die akademische Freiheit hat aber auch Nachteile. Es kümmert sich kaum jemand darum, was der Student tut oder läßt. Für schwache, unselbständige Menschen liegt darin eine Gefahr. Manche „verbummeln", d.h. sie fangen mit ihrer kostbaren Studienzeit nichts Rechtes an. Im allgemeinen aber finden sich die Studenten in Deutschland nach einiger Zeit zurecht, sie werden selbständig, das ist ein großer Vorteil.

Wenn ein Student in Deutschland wenig Geld hat, so braucht er deswegen keine Not zu leiden. Er kann Arbeit suchen und findet eigentlich immer eine Tätigkeit. Der junge Mann aus Persien wunderte sich darüber, und es freute ihn, daß er stundenweise und ganz gut bezahlt wurde. In seiner Heimat kennt man das nicht. Für die junge Dame aus Amerika war es selbstverständlich, daß ein Student in seiner freien Zeit Geld verdient. In ihrer Heimat tun dies auch Söhne reicher Eltern, die eigentlich nicht darauf angewiesen sind. – Sehr erfreut war der junge Mann aus Persien darüber, daß man von einem Studenten oft nicht so viel Geld verlangt wie von anderen Menschen. Z. B. bekam er billigere Fahrkarten auf der Straßenbahn. Bei Konzerten, im Theater, in Ausstellungen gibt es Ermäßigungen für Studenten.

schlicht einfach – *unnahbar* so, daß niemand näher zu kommen wagt, abweisend
et. lassen hier: nicht tun
auf et. angewiesen sein et. unbedingt nötig haben

Ganz besonders gefielen ihm die deutschen Jugendherbergen. Es sind dies Unterkunftshäuser, in denen junge Leute (Schüler, Studenten) sehr billig übernachten und essen können. Jugendherbergen gibt es in Großstädten, Kleinstädten und auf dem Lande. Sie sollen den jungen Menschen das Reisen und Wandern erleichtern. Auch andere europäische Länder haben Jugendherbergen. Die junge Dame aus Amerika stellte aber fest, daß „drüben" großzügiger für Studenten gesorgt wird. Sie haben noch viel mehr Vorrechte und Vorteile als in Deutschland.

Unser Student aus dem Orient war begeistert von den deutschen Polizisten. Er fand sie höflich und hilfsbereit. Es fiel ihm angenehm auf, daß sie nicht gleich Geld von ihm verlangten. Die junge Dame aus dem Westen dagegen fand, daß sie von den Polizisten ihrer Heimat doch liebenswürdiger behandelt wird als hier. Andere Länder, andere Sitten! – Der junge Mann aus dem Osten wunderte sich, daß in Deutschland die Geschäfte nur zu bestimmten Zeiten offen sind. In seiner Heimat sind die Geschäfte oft bis spät in die Nacht hinein offen – das gilt übrigens auch schon für die südlichen europäischen Länder, z. B. für Italien. Dann war er erstaunt, daß in Deutschland die Frauen einkaufen. In seiner Heimat tun dies nur die Männer! Der Vater nimmt seinen kleinen Sohn bei der Hand, in die andere Hand nimmt er einen großen Korb, dann gehen beide auf den Markt oder in den Basar. – Für unsere junge Dame aus Amerika dagegen ist es selbstverständlich, daß die Frauen fast alle Einkäufe besorgen – der größte Teil des Geldes geht durch ihre Hände.

Die deutschen Frauen haben das Wahlrecht, sie entscheiden also ebenso wie die Männer, wer in der Gemeinde, dem Land und der Bundesrepublik regieren soll. In Amerika und in vielen anderen europäischen Ländern ist dies ebenfalls selbstverständlich – im Orient dagegen nicht.

Unser Student aus Persien wunderte sich über das leidenschaftliche Interesse, das die Deutschen für den Fußballsport haben. Die junge Dame aus Amerika war in dieser Hinsicht noch ganz anderes gewöhnt –

---

die Sitte, -n hier: Gebrauch, Gewohnheit
unerhört hier: ausgeschlossen, unmöglich

Fußball, Baseball und andere Sportarten haben in ihrer Heimat eine ungeheuere Bedeutung. – Der junge Mann aus Persien hatte anfangs in Deutschland seinen Spaß an den vielen Radfahrern auf den Straßen. Ein junger Kaufmann aus Dänemark dagegen fand, daß in Deutschland nicht sehr viel Rad gefahren wird. In Kopenhagen radelt sogar die königliche Familie!

Ein junger Franzose staunte nicht wenig, als er auf den Straßen in München Leute in heimischer Tracht traf. Im Sommer tragen die Mädchen und Frauen Dirndlkleider, das sind Kleider mit enger Taille und einem weiten Rock, über dem eine Schürze getragen wird. Die Männer tragen Lederhosen, Kniestrümpfe und eine Jacke. Die Mode hat diese Volkstracht abgewandelt und einen eigenen Trachtenstil entwickelt. Es gibt Trachtenkostüme für Damen, Trachtenanzüge für Herren, und dazu passende Schuhe, Krawatten, Handtaschen, Blusen usw. Diese Art sich anzuziehen ist in Bayern sehr beliebt.

Unser junger Mann aus Persien wunderte sich, daß man in Deutschland viel Liebe für alte Dinge hat. Man trachtet, alte Häuser so zu erhalten, wie sie erbaut wurden. Es gibt eigene Geschäfte, die alte Möbel verkaufen. Alte Bilder, altes Prozellan, alter Schmuck gelten als wertvoll, werden gesucht und gut bezahlt. Ihm war das neu, während die junge Dame aus Amerika dies alles längst kannte.

Es gibt Kleinigkeiten, die den Ausländern in Deutschland auffallen. Warum tragen so viele Leute eine Aktenmappe? Es handelt sich doch nicht immer um Beamte, die Bücher oder Schriftstücke darin herumtragen! Sehr oft ist nur der Regenmantel darin, das Frühstückbrot oder irgendwelche eingekauften Sachen. In letzter Zeit wird sie durch die leichten Plastik-Taschen ersetzt.

Die Deutschen sind ordentliche Leute – sie tragen ihr Geld nur in einem Geldbeutel bei sich, der meist aus Leder ist. In anderen Ländern trägt man das Geld lose in der Tasche.

Ein junger Mann aus dem Orient wunderte sich, wie sehr die Deutschen Tiere lieben. Man hält sich einen Hund oder eine Katze als

die Tracht, *-en* besondere Kleidung, die auf dem Land noch getragen wird
trachten (nach et.) et. wünschen, unbedingt tun (haben) wollen – *Aufsehen erregen* stark beachtet werden

Hausgenossen. Es gibt eigene Tierhandlungen, in denen man Vögel, aber auch Fische, Affen usw. kaufen kann. – Eine junge Dame aus England stellte dagegen fest, daß man bei ihr zu Hause die Tiere viel mehr liebt als in Deutschland. Man achtet noch viel mehr darauf, daß Tiere nicht unnötig gequält oder mißbraucht werden.

Fast jeder Ausländer freut sich über die deutschen Volksfeste. Wo Wein wächst, feiert man die Weinlese. In München findet alljährlich ein berühmtes Volksfest statt – das Oktoberfest. – In Süddeutschland und im Rheinland spielt im Winter der Fasching eine große Rolle. Wer jung ist, sollte nicht versäumen, da mitzutun.

Es ist möglich, daß dem Ausländer dieses oder jenes in Deutschland nicht gefällt. Wir raten, nicht zu schnell zu urteilen und vor allem nicht zu verurteilen. Warten Sie ab, lieber junger Freund, bis Sie Deutschland und die Deutschen besser kennen. Dann werden Sie manches verstehen, was Sie zunächst befremdet hat.

eine Rolle spielen hier: sehr wichtig sein

Der seidene Schal

(Eine kleine Szenen Folge)

1. Szene: Ein Wohnzimmer. Personen: Alter Herr, Studentin

Der alte Herr: Wo nur meine Studentin heute bleibt? Sie ist doch sonst immer pünktlich. Ich habe mich so an sie gewöhnt. Sie hat mir alles eingekauft und besorgt, was ich brauchte. Die Wohnung hat sie gut in Ordnung gehalten. Es tut mir wirklich leid, daß ich mich bald von ihr trennen muß.

Es klopft, die Studentin tritt ein

Studentin: Guten Tag, Herr Wegmann! Wie geht es Ihnen? Ich bitte sehr um Entschuldigung, daß ich mich verspätet

	habe! Aber ich mußte beim Einschreiben auf der Universität viel länger warten, als ich gedacht hatte. Was soll ich zuerst tun? Soll ich das Wohnzimmer in Ordnung bringen oder gleich einkaufen gehen?
Alter Herr:	Liebes Fräulein Christa, setzen Sie sich erst einmal hin, Sie sind ja ganz außer Atem. Ich habe Ihnen manches zu erzählen. Denken Sie nur, ich gebe diese Wohnung hier bald auf und ziehe zu meiner verheirateten Tochter. Mein Schwiegersohn hat ein Haus gebaut und dabei auch an ein Zimmer für mich gedacht.
Studentin:	Wie schön für Sie, Herr Wegmann! Das freut mich aber sehr. Dann sind Sie nicht mehr allein.
Alter Herr:	Nein, ich kann dort jeden Tag mit meinen Kindern und Enkelkindern zusammen sein. Trotzdem fällt es mir nicht leicht, meine Wohnung hier aufzugeben. Ich habe so viele Jahre hier gelebt.
Studentin:	Reisen Sie denn schon bald ab?
Alter Herr:	Am Anfang des nächsten Monats. Bis dahin kommen Sie aber noch zweimal zu mir, nicht wahr? Wenn Sie das letzte Mal kommen, müssen wir abrechnen und ich möchte Ihnen ein kleines Andenken geben, damit Sie mich nicht ganz vergessen.
Studentin:	Eigentlich ist das nicht nötig, Herr Wegmann, ich vergesse Sie bestimmt nicht. Aber wenn Sie durchaus wollen, gut, ich lasse mich mit einem kleinen Andenken überraschen.

2. Szene: Wohnzimmer

Der alte Herr und seine Tochter packen einen Koffer

Tochter:	So, Vater, jetzt sind wir bald fertig! Kann ich alles einpacken, was hier noch herumliegt?

et. aufgeben (gab ... auf, aufgegeben) hier et. nicht behalten (z. B. Wohnung, Beruf) – *abrechnen (mit jm)* Geldsachen in Ordnung bringen

Alter Herr:	Ja – alles! Halt, einen Augenblick! Ich muß der netten Studentin, die mich versorgt hat, noch irgendein Andenken schenken.
Tochter:	Wie wäre es mit einem Buch? Deine Bibliothek ist so umfangreich, du findest sicher ein Buch, das du verschenken kannst.
Alter Herr:	Nein, ein Buch will ich ihr nicht geben. Mit Büchern hat sie durch ihr Studium gerade genug zu tun. Wie wäre es mit einem kleinen Schmuckstück? Ich habe noch einige Broschen und Ketten von deiner verstorbenen Mutter – wäre da nicht etwas Geeignetes dabei?
Tochter:	*ärgerlich und habgierig:* Aber Vater, wo denkst du hin! Du wirst doch nicht ein Schmuckstück von Mutter an ein wildfremdes Mädchen verschenken!
Alter Herr:	Wie du meinst, mein Kind! Ich möchte nichts tun, was dich ärgert. Gib mir einen guten Rat, was ich der Studentin schenken könnte – denn ein Andenken soll sie bekommen, ich habe es ihr schon versprochen.
Tochter:	*nimmt einen Schal in die Hand:* Wie wäre es denn mit diesem Schal hier? Mutter hat ihn öfter getragen – ich erinnere mich noch daran. Aber er hat wohl keinen großen Wert und ist außerdem nicht gerade modern.
Alter Herr:	*lächelt verstohlen:* Jawohl – der Schal ist das Richtige! Gut, diese Frage ist erledigt!

3. Szene: *Wohnzimmer*
Alter Herr, Tochter und Studentin am Kaffeetisch

Alter Herr:	Noch eine Tasse Kaffee, Fräulein Christa? Nein, wirklich nicht? Gut, dann wollen wir abrechnen. Was haben Sie noch von mir zu bekommen?

umfangreich groß – *wie wäre es mit einem Buch?* Könntest du vielleicht ein Buch schenken?
habgierig ist jd, der alles für sich haben will – *wildfremd* vollkommen fremd
erledigt hier: beantwortet

Studentin:	Sechs Stunden habe ich gearbeitet seit unserer letzten Abrechnung, das macht achtzehn Mark.
Alter Herr:	Hier sind zwanzig Mark. Können Sie mir zwei Mark herausgeben? So – und hier ist das kleine Andenken, das ich Ihnen versprochen habe.
Tochter:	Mein Vater möchte Ihnen diesen Schal hier geben, Fräulein Christa!
Studentin:	Wie schön – das kann ich ja fast nicht annehmen. Er sieht so exotisch aus. Ist er nicht zu kostbar?
Tochter:	*hochmütig:* Nein, kostbar ist er nicht! Der Schal ist nur eine Nachahmung von irgendeinem asiatischen Muster.
Alter Herr:	Ja, meine Frau hat ihn einmal in einem Berliner Warenhaus gekauft·
Studentin:	Vielen, herzlichen Dank! Er gefällt mir ausgezeichnet und ich werde ihn in Ehren halten.

4. Szene

Kleiner Tisch in der Ecke eines Zimmers

Herr:	Hier können wir ein wenig ausruhen vom Tanzen, Fräulein Christa! Sehen Sie, dieser Tisch ist frei und es ist ruhig hier. Gefällt Ihnen das Fest?
Studentin:	*im Tanzkleid:* Ja, sehr gut. Aber ich bin froh, daß es hier kühler ist als im Saal – mir war es zu heiß dort drin.
Herr:	*besorgt:* Erkälten Sie sich nur nicht! Das passiert leicht nach dem Tanzen. Aber Sie haben glücklicherweise einen Schal mit – darf ich Ihnen behilflich sein? *legt der Studentin den Schal um die Schultern.* Sie haben da einen wunderschönen, seltenen Schal. Echt javanische Batik-Arbeit.
Studentin:	*lacht:* O nein, da irren Sie sich! Der Schal ist nicht sehr

---

die *Nachahmung,* -en Imitation – *et. in Ehren halten* et. (ein Geschenk) sehr schätzen *jm behilflich sein* jm helfen

wertvoll. Ich bekam ihn als Andenken geschenkt von einem alten Herrn, den ich eine Zeitlang versorgt habe. Seine Tochter sagte mir, er sei nur eine Imitation aus einem Berliner Warenhaus.

Herr: Liebes Fräulein Christa, jetzt muß ich Ihnen energisch widersprechen. Ich war jahrelang als Kaufmann in Niederländisch-Indien, ich sammle solche Schals und kenne mich genau aus. Der Schal, den Sie hier haben, ist ganz bestimmt ein echtes und besonders wertvolles Stück. Sie müssen sehr gut darauf achtgeben, denn so etwas bekommen Sie nicht leicht wieder.

Die Technik – Wohltat oder Plage?

Ein verkehrsreicher Platz in der Großstadt. In der Mitte sind Blumenbeete und einige Bänke. Auf einer Bank sitzt ein alter Herr. Ein junger Mann setzt sich zu ihm.

Junger Mann: Gestatten Sie, bitte?

Alter Herr: *(rückt zur Seite):* Gern – setzen Sie sich nur hierher.

Junger Mann: Großartig, dieser Verkehr, finden Sie nicht auch? Ich möchte wissen, wie viele Autos täglich hier über den Karlsplatz fahren.

Alter Herr: Viele Tausend, das ist sicher! Aber sagen Sie, weshalb bewundern Sie das? *(Man hört ein Flugzeug über den Platz fliegen).*

Junger Mann: Nun, es ist doch ein Zeichen unserer Zeit. Herrlich, dieses Tempo! Die dort oben *(er sieht dem Flugzeug nach)* sind natürlich noch schneller als wir hier unten.

Alter Herr: Und was haben sie davon?

Junger Mann: Sie gewinnen Zeit! Sie kommen schneller vorwärts! Und es macht doch einfach Freude, möglichst rasch von der Stelle zu kommen. Sicher sind Sie auch schon einmal in einem Wagen gefahren, der mit 150 oder 180 km Geschwindigkeit dahinsauste. Oder sie saßen vielleicht einmal in einem Zug, der noch schneller fuhr. Sind Sie schon einmal geflogen? Ich noch nicht.

Alter Herr:
(lächelt)
Doch, ich kenne das alles aus Erfahrung. Aber wenn man älter wird, dann macht man sich seine Gedanken über diesen ganzen Betrieb von heute. Man darf die Schattenseiten der Technik nicht vergessen.

Junger Mann: Nachteile der Technik? Ich würde gern hören, was Sie darunter verstehen.

Alter Herr: Nun, atmen Sie zum Beispiel einmal die Luft hier auf dem Karlsplatz tief ein! Sie ist ganz verdorben von den Abgasen der Autos. Unlängst las ich in der Zeitung, daß ein Verkehrsschutzmann in Wien nach einigen Stunden Dienst durch diese Abgase ohnmächtig wurde. –

Junger Mann:
(nachdenklich)
Ja, ich muß zugeben, daß die Luft hier wirklich schlecht ist. Aber dieser Einwand gilt z.B. für das Flugzeug nicht. Dort oben, wo die fliegen, da ist die Luft rein.

Alter Herr: Sicher! Aber das Fliegen hat wieder andere Nachteile und Gefahren. Bei bestimmten Krankheiten ist es gefährlich, die Ärzte verbieten es z.B. Menschen mit Herzleiden oder hohem Blutdruck. Auch mancher Gesunde wird im Flugzeug luftkrank. Und diese Unglücksfälle!

Junger Mann: Unglücksfälle kommen leider überall vor. Erst gestern fuhr ich mit meinem Motorrad auf der Autobahn an einem schweren Verkehrsunfall vorüber. Irgend

seine Gedanken seine besonderen, eigenen Gedanken – *die Schattenseiten (Pl.)* das Negative, die Nachteile
unlängst vor kurzer Zeit – *das Abgas, -e* gasförmiges Produkt, das bei der Verbrennung von Benzin entsteht (Auspuffgas) – *zugeben* hier: et. (ungern, zögernd) für richtig erklären – *der Einwand, ̶e* Gegengrund

86

jemand fährt zu schnell, oder die Verkehrsregeln werden nicht beachtet, oder ein Fahrer paßt einen Augenblick nicht auf – und schon ist das Unglück da. Manchmal versagt ja auch die Maschine.

Alter Herr: Sie sagten eben, daß die Menschen manchmal einen Augenblick lang nicht richtig aufpassen. Sehen Sie, hier haben Sie einen weiteren Nachteil der Technik. Es bedeutet eine dauernde Belastung für die Nerven, wenn man immer aufpassen muß. Dazu kommt, daß die Technik uns fast jede körperliche Anstrengung abnimmt. Die Menschen werden träge, sie bewegen sich zu wenig.

Junger Mann: Man muß eben Sport treiben, damit man gesund bleibt. Natürlich ist es ein großer Fehler, wenn man nur am Steuer seines Wagens sitzt. Man soll das Auto, die Bahn oder das Flugzeug sinnvoll benützen, man soll damit ins Freie hinausfahren, in die Natur. Man kann schöne Reisen machen und sich dabei erholen.

Alter Herr: Aber sehen Sie sich einmal an einem Sonntag den Betrieb auf den Straßen, in den Bädern und in den Ausflugsorten an. Lärm, Unruhe, schlechte Luft! Viele Menschen! Man weiß gar nicht mehr, wo man seine Sonntage verbringen soll. Nicht einmal vor den Bergen macht die Technik halt. Es werden immer mehr Bergbahnen gebaut, und die Menschen fahren in Massen auf die Gipfel. Dabei wäre es viel gesünder, auf die Berge zu steigen.

Junger Mann: Ich verstehe Ihren Ärger über die Bergbahnen gut, und ich finde auch, daß ein Berg, auf den eine Bahn fährt, für einen richtigen Bergsteiger verloren ist. Aber auch diese Sache hat zwei Seiten. Vorigen Herbst haben meine Eltern mich hier besucht. Meine Mutter ist leider sehr schlecht zu Fuß, sie kann nicht

träge ist jd, der sich nicht gern bewegt – *schlecht zu Fuß sein* nicht gut, vor allem nicht lange gehen können

lange gehen. Die Berge waren für sie bisher unerreichbar. Jetzt aber konnten wir mit der Bergbahn auf den Wallberg fahren, und sie konnte auch einmal die wunderschöne Aussicht genießen. Sie hätten sehen sollen, wie glücklich sie war.

Alter Herr: Ich nehme alles zurück, was ich gegen die Bergbahnen sagte. Aber die Zerstörung des Landschaftsbildes ist sehr zu bedauern. Die Tal- und Gipfelstationen, die geraden Linien der Bahn, die den Wald zerschneiden – das alles ist gar nicht schön.

Junger Mann: Aber diese Einwände hat man sicher auch gemacht, als die Eisenbahn gebaut wurde, und dann wieder beim Bau der Autobahn. An die Änderung der Landschaft gewöhnt man sich mit der Zeit.

Alter Herr: Ja, leider! Woran ein alter Mensch wie ich sich nicht mehr gewöhnen kann, das ist die Hast und Unruhe des täglichen Lebens. Da werden Maschinen erfunden, die den Menschen Arbeit abnehmen und also Zeit sparen sollen. Wo aber bleibt die ersparte Zeit? Jeder klagt doch nur darüber, daß er keine Zeit hat. Männer in leitender Stellung stehen unter Zeitdruck, wie man sagt, aber ebenso die Angestellten in den Büros und die Arbeiter an den Maschinen.

Junger Mann: Jeder möchte eben so viel wie möglich verdienen. Es gibt so vieles, was man kaufen möchte. Schauen Sie sich nur einmal die Schaufenster hier rund um den Karlsplatz an. Elegante Kleidung, Schmuck, Maschinen für den Haushalt, Rundfunkgeräte und Fernsehapparate, Kunstgegenstände – man könnte endlos kaufen, wenn man das nötige Geld hätte.

Alter Herr: Und das alles zusammen macht unseren Lebensstandard aus, von dem so viel gesprochen und geschrieben wird. Merkwürdig ist nur, daß die Menschen durch die vielen schönen Dinge nicht glücklich wer-

die Hast übergroße Eile

den. Gerade reiche Leute, die alles haben, sind oft un-
zufrieden. Sie werden krank, weil sie allzu gut essen,
sie machen sich Sorgen um ihren Besitz. Da lobe ich
mir mein bescheidenes Auskommen, meine Spazier-
gänge am Sonntag und mein Glas Bier am Abend.

Junger Mann: Sie haben sicher recht: Reichtum macht nicht glücklich. Ich bin froh und zufrieden, daß ich jung und
gesund bin und daß ich mich für den Beruf ausbilden
kann, den ich mir ausgesucht habe. Ich brauche nicht
viel, um vergnügt zu sein. Aber einen Wagen möchte
ich mir später doch einmal kaufen, wenn ich genug
verdiene. Und jetzt muß ich gehen. Es war sehr nett
von Ihnen, daß Sie sich mit mir unterhalten haben.
Guten Abend – auf Wiedersehen!

ich habe mein Auskommen ich habe so viel Geld wie ich brauche

Alte Bauten – neues Bauen

Fremder: Guten Tag! Bitte können Sie mir sagen, wie der große
Bau dort drüben heißt?

Einheimischer: Das ist die Maxburg!

Fremder: Ah – eine Burg! Aber es gibt doch hier in München
keine Könige oder Fürsten mehr.

Einheimischer: Nein, Bayern ist eine Republik. Es gibt wohl noch
Fürsten, sie leben aber wie andere Sterbliche auch.

Fremder: Wieso haben Sie dann hier eine Burg?

Einheimischer: Das Bauwerk heißt noch so, weil früher an dieser
Stelle die Maxburg stand. Sie wurde etwa ums Jahr
1600 erbaut und nach dem Herzog Max genannt. Im

der Bau, -ten hier: Gebäude – *die Burg, -en* befestigtes Schloß – *wie andere Sterbliche*
wie alle anderen Menschen

	letzten Krieg wurde sie durch Bomben zerstört. Nur der Turm der alten Maxburg blieb erhalten. Nach dem Krieg wurde dieser moderne Bau errichtet. Den alten Turm hat man stehen lassen und in den modernen Bau eingefügt. Gefällt Ihnen die neue Maxburg?
Fremder:	O ja, recht gut! Der Bau wirkt modern, großzügig und freundlich. Ich hätte nicht gemerkt, daß der Turm alt ist, wenn Sie es nicht gesagt hätten. Aber Ihnen scheint das Ganze nicht zu gefallen.
Einheimischer:	Ach Gott, wissen Sie, unsereiner hat die alten Bauten gekannt. Man hing daran, man war an sie gewöhnt von Kind an. Zu jedem Bau gehörte ja auch ein Stück Geschichte von München, von Bayern und von Deutschland.
Fremder:	Das verstehe ich gut. München muß schon früher eine herrliche Stadt gewesen sein. Es ist aber auch heute wieder wunderschön. Oder meinen Sie, daß man es genau so hätte aufbauen sollen, wie es früher war? Das wäre wohl gar nicht möglich gewesen.
Einheimischer:	Das ist eine Frage, über die schon viel gesprochen und geschrieben wurde. Soll man die alten Bauwerke einfach kopieren und so wiederherstellen, wie sie früher waren? Einige Bauten von ganz besonderer geschichtlicher Bedeutung hat man genau so aufgebaut wie sie früher waren: Das Goethe-Haus in Frankfurt, das Dürer-Haus in Nürnberg, das Nationaltheater in München. Aber die Originale sind und bleiben doch verloren, die neuen Bauten sind nur Nachahmungen. Nun war ja die Maxburg kein ungewöhnlich schönes oder kostbares Bauwerk. Sie entsprach bestimmt den Anforderungen nicht mehr, die man heute stellt. Na

einfügen einordnen – *unsereiner* jemand von meiner Art, so ein Mensch wie ich – *an et. hängen* et. so gern haben, daß man es nicht hergeben, verlieren will
das Original, -e hier: echtes Kunstwerk – *Anforderungen stellen* et. (Größeres) fordern

	ja, und da haben sie jetzt diesen modernen Kasten mit viel Glas hingestellt.
Fremder:	Was ist denn in dem Gebäude untergebracht?
Einheimischer:	Hauptsächlich Behörden, Gerichte usw. Im Erdgeschoß sind elegante Läden.
Fremder:	Ich möchte nicht unhöflich sein und Sie nicht kränken – aber für mein Gefühl hat hier der Architekt seine Aufgabe gut gelöst. Der große Baukörper ist gut aufgegliedert. Die Durchgänge und Innenhöfe sind sehr schön. Gibt es noch viele solche moderne Bauten hier in der Stadt?
Einheimischer:	O ja, eine ganze Menge. Machen Sie sich nur einmal die Mühe und gehen Sie kreuz und quer durch die Stadt spazieren – Sie werden dabei viel entdecken. Manche neuen Bauten passen aber gar nicht ins Stadtbild, finden wir alten Münchner. Sie sind alle so nackt und kahl, so nüchtern und schmucklos. Das Auge findet gar nichts mehr, woran es sich erfreuen könnte. Da hat man früher doch anders gebaut!
Fremder:	Natürlich! Man kann ja hier in München alle Baustile früherer Zeiten sehen, zum Glück sind noch viele schöne Bauwerke erhalten. Jede Zeit entwickelt ihre eigene Art zu bauen, und unsere Zeit baut eben klar, einfach und ein wenig schmucklos. Das hängt sicher mit unserer ganzen Lebensweise zusammen. Dazu kommen die technischen Möglichkeiten. Früher konnte man Stahl und Glas nicht so verwenden wie heute. Daher sehen die modernen Bauten anders aus als die früheren.
Einheimischer:	Ja, ja, Sie haben natürlich recht. Man kann das Rad der Zeit nicht zurückdrehen. Was fürs Bauen gilt, das kann man genau so bei der Malerei sehen. Waren Sie schon in der neuen Kunstausstellung?

die Behörde, -n öffentliche Dienststelle
kreuz und quer nach allen Richtungen – *nüchtern* hier: allzu sachlich

Fremder:	Ja, ich war mehrmals drin und habe mir die Bilder gründlich angesehen.
Einheimischer:	Wirklich? Da bewundere ich Sie. Ich verstehe die moderne Malerei nicht und weiß bei vielen Bildern nicht einmal, was sie zu bedeuten haben. Und nun frage ich Sie: Ist das überhaupt noch Kunst? Sehen Sie doch die Bilder der alten Meister an, welches Können findet man da. Nein, als ich aus der neuen Kunstausstellung herauskam, bin ich zur Erholung in die Spitzweg-Ausstellung gegangen!
Fremder: *(lacht)*	Da kamen Sie allerdings von einem Extrem ins andere – von den modernen Malern zum Maler der guten alten Zeit! Die Bilder von Spitzweg sind köstlich, ich liebe sie und versäume keine Gelegenheit, sie zu sehen. Aber die Zeit, aus der sie stammen, kann man mit der Gegenwart nicht vergleichen.
Einheimischer:	Nein, natürlich nicht. Unsere Maler von heute werden schon wissen, warum sie so malen, sie drücken wahrscheinlich mit ihren Bildern auch den Geist unserer Zeit aus. Man muß gerecht sein und bedenken, daß viele große Künstler von ihren Zeitgenossen völlig verkannt wurden. Vor kurzem hatten wir hier in München herrliche, große Ausstellungen berühmter französischer Maler aus jüngerer Zeit. Ihre Bilder sind heute ein Vermögen wert. Und wie ist es ihnen zu ihren Lebzeiten ergangen? Sie haben am Hungertuch genagt, sie wurden verlacht und verspottet, niemand wollte ihre Bilder kaufen. Daran denke ich immer, wenn ich durch eine Ausstellung moderner Bilder gehe und vieles nicht verstehe. Auch unter diesen Malern wird ein van Gogh, eine Kollwitz oder ein Kokoschka sein – wir erkennen sie aber noch nicht.

---

jn verkennen jn falsch beurteilen – *am Hungertuch nagen* nichts zu essen haben

| Fremder: | Das ist ein schöner Gedanke! Wenn nur mehr Menschen solche Ansichten hätten, dann hätten es die Künstler leichter. Aber ich darf Sie nicht länger aufhalten. Es war mir ein Vergnügen! |
| Einheimischer: | Ganz meinerseits! Lassen Sie sich's gut gehen in München! Auf Wiedersehen! |

ganz meinerseits mir ebenso

Feste und Feiern in Deutschland

Ludwig:	Kinder, in vierzehn Tagen ist Weihnachten!
Annemarie:	Du liebe Zeit, und ich habe noch so viel zu tun bis dahin! Wie soll ich nur mit allem fertig werden?
Ben:	Warum haben alle Leute in Deutschland so viel zu tun vor Weihnachten? Ich bin das erste Jahr hier, und ich begreife das alles nicht. Ich weiß bisher nur, daß am 20. Dezember die Weihnachtsferien anfangen.
Ludwig:	Du hast noch kein deutsches Weihnachtsfest erlebt, Ben. Da wirst du aber Augen machen!
Ben:	Meinst du, Ludwig? So viel ich erfahren habe, reisen alle anderen Studenten nach Hause. Ich kann das nicht, meine Heimat ist weit weg von hier. Also werde ich wohl in dieser Zeit allein sein und mich mit meinen Büchern beschäftigen.
Annemarie:	Ludwig, das können wir nicht zugeben. Heute abend sprechen wir mit Mutter. Wir müssen Ben zu uns einladen! Sicher ist sie damit einverstanden.

du wirst Augen machen du wirst dich sehr wundern – *et. zugeben* hier: erlauben –

Ben:	Du bist sehr freundlich, Annemarie, aber ich möchte niemandem lästig fallen. Erzähl mir erst, was zu Weihnachten alles los ist hier.
Annemarie:	Weihnachten ist ein hohes kirchliches Fest. Wir feiern die Geburt Christi. Es hängt auch mit der Jahreszeit zusammen, nämlich mit der Wintersonnenwende. Um die Weihnachtszeit, am 21. Dezember, ist der kürzeste Tag des Jahres. Weihnachten ist aber vor allem ein großes Familienfest.
Ludwig:	Ja, weißt du, Ben, an Weihnachten möchte jeder Deutsche daheim sein, bei seinen Eltern.
Annemarie:	Weihnachten ist das Fest, an dem man einander seine Zuneigung und Liebe zeigt. Die größte Weihnachtsfreude ist es, darüber nachzudenken, was ich Vater und Mutter, den Geschwistern und Freunden schenken werde. Ich mag gern etwas für sie arbeiten und sie überraschen.
Ludwig:	Ich freue mich immer am meisten auf den Weihnachtsbaum, genau so als ob ich noch ein Kind wäre. Wir stellen einen Tannenbaum in unser Wohnzimmer. Er wird mit Kerzen, Sternen und silbernen Ketten geschmückt. Darunter steht die Krippe mit dem Christkind, mit Maria und Josef und den Hirten. Den Weihnachtsbaum schmückt immer unser Vater.
Annemarie:	Das Zimmer wird vorher abgeschlossen – niemand darf hinein. Am Abend des 24. Dezember, wenn es dunkel wird, ist Bescherung. Mutter hat vorher auf einem eigenen Tisch alle Geschenke schön aufgebaut, dazwischen legt sie Tannenzweige und stellt Kerzen und die Teller mit dem Weihnachtsgebäck auf. Dann werden alle Kerzen angezündet. Dann klingelt es – und die Tür öffnet sich. Das ist der schönste Augenblick im ganzen Jahr.

jm lästig fallen jm nicht angenehm sein
Zuneigung haben zu jm jn gern haben – *die Bescherung* Verteilung der Weihnachtsgaben

Ludwig:	Weißt du, Ben, früher, als wir noch Kinder waren, glaubten wir, daß das Christkind den Baum und die Geschenke bringt. Wir hielten uns an den Händen und sangen ein Weihnachtslied, wenn wir ins Zimmer gehen durften. Jetzt sind wir erwachsen – aber wir machen es noch genau so.
Annemarie:	Dann bewundert jeder seine Geschenke, und es gibt manche Überraschung. Denn niemand darf vorher wissen, was er geschenkt bekommt, das ist ja gerade so schön dabei.
Ludwig:	Und dann gibt es immer ein gutes Essen. Nachher singen wir noch Weihnachtslieder. Man sitzt gemütlich beisammen bei einem Glase Punsch, und endlich darf man auch das gute Weihnachtsgebäck essen, das schon wochenlang vorher gebacken wurde.
Ben:	Bäckst du das Weihnachtsgebäck, Annemarie?
Annemarie:	Ja, das Kleingebäck backe ich. Den Weihnachtsstollen aber backe ich gemeinsam mit Mutter. Stollenbacken ist eine Kunst. Man lernt es nur allmählich, und Mutter läßt sich das auch nicht nehmen.
Ludwig:	Stollen und Weihnachtsgebäck schmecken ausgezeichnet, Ben. Du mußt unser Gebäck versuchen! Nun darfst du aber nicht denken, daß wir zu Weihnachten nur an Essen und Trinken denken. Nein, das Wichtigste ist der Kirchgang. Um Mitternacht wird in den katholischen Kirchen die Christmette gefeiert. Da gehen wir alle hin. Unsere Freunde, die Familie Wolfhardt, sind evangelisch. Sie gehen schon am Nachmittag um fünf Uhr in den evangelischen Weihnachtsgottesdienst und bescheren, wenn sie heimkommen.
Ben:	Das muß alles sehr schön sein. Mir gefällt ja schon jetzt die Stadt so gut, mit den schönen Schaufenstern und den

der Punsch heißes alkoholisches Getränk – *der Stollen* (oder *die Stolle*) länglich geformter Kuchen (bes. zu Weihnachten gebacken) – *sich et. nicht nehmen lassen* et. unbedingt tun wollen

	großen Tannenbäumen auf dem Marienplatz und vor dem Bahnhof. – Eine Woche nach Weihnachten fängt dann das neue Jahr an, nicht wahr?
Ludwig:	Ja, Silvester, den letzten Tag des Jahres feiern wir gern in größerem Kreise. Man geht ins Theater und trifft sich nachher mit Freunden. Viele Familien bleiben aber auch zu Hause. Dann vertreibt man sich die Zeit, bis es zwölf Uhr wird. Man spielt Gesellschaftsspiele, liest etwas Lustiges vor, oder man gießt Blei.
Ben:	Blei gießen – wozu tut man das?
Annemarie:	Man schmilzt kleine Bleikügelchen über einer Kerze und läßt das geschmolzene Blei ins Wasser fallen. Dabei entstehen ganz verschiedene Formen. Daraus versucht man zu erraten, was das kommende Jahr bringen wird. Das ist natürlich nur ein Aberglaube!
Ludwig:	Kurz vor zwölf Uhr öffnet man die Fenster, damit man die Turmuhren schlagen und die Glocken läuten hört. Wenn es dann schlägt, stößt man mit den Weingläsern an und wünscht einander ein glückliches Neues Jahr. Es ist Sitte bei uns, einander frohe, gesegnete Weihnachten und ein gutes Neues Jahr zu wünschen.
Ben:	Ja, ich sah schon die Karten in den Auslagen liegen. Ich muß auch Karten kaufen und an meine Freunde schicken.
Annemarie:	Auch zu Ostern wünscht man einander ein frohes Osterfest, aber das ist nicht so allgemein verbreitet wie die Weihnachts- und Neujahrswünsche.
Ben:	Warum feiert man Ostern?
Ludwig:	Zu Ostern feiern die Christen die Auferstehung Christi. Zugleich wird der Frühling gefeiert, die Wiederkehr des Lebens nach dem Winter. Deshalb schenkt man einander Ostereier, vor allem den Kindern. Denn das

---

sich die Zeit vertreiben (vertrieb, vertrieben) die Zeit verbringen – *Blei gießen (goß, gegossen)* Blei flüssig machen und in kaltes Wasser gießen – *schmelzen (schmolz, geschmolzen)* et. durch Hitze flüssig machen – *der Aberglaube* falscher Glaube – *das Sinnbild, -er* Symbol

	Ei ist das Sinnbild des Lebens. Die Eier werden gekocht und bunt gefärbt und dann versteckt. Eigentlich muß man sie draußen, im Freien, in einem Garten suchen. Das macht den Kindern viel Spaß. Kleinen Kindern erzählt man, daß der Osterhase die Eier bringt – obwohl natürlich noch niemals ein Hase Eier gelegt hat.
Ben:	Gibt es wieder so viele Geschenke wie zu Weihnachten?
Annemarie:	Man schenkt den Kindern außer den Eiern Süßigkeiten, Eier und Hasen aus Zucker oder Schokolade. Auch manche Erwachsene machen einander kleine Geschenke. Allgemein üblich ist das aber nicht.
Ben:	Was gibt es sonst noch für Feste in Deutschland?
Ludwig:	Man feiert Familienfeste, z.B. Geburtstag. Man bemüht sich, vorher herauszufinden, was das Geburtstagskind sich wünscht. Denn man will jedem zu seinem Geburtstag Freude machen und eine Überraschung bereiten. Zu jedem Geburtstag gehört ein guter Geburtstagskuchen. Meine Mutter bäckt ganz vorzügliche Kuchen, ich freue mich schon immer vorher darauf. Im allgemeinen deckt man den Geburtstagstisch schon am Morgen. Das Geburtstagskind bekommt dann seine Geschenke. Der Kuchen steht in der Mitte, man steckt eine große Kerze hinein, das ist das Lebenslicht. Außen um den Kuchen stellt man Kerzen auf, und zwar so viele wie das Geburtstagskind Jahre zählt. Die Damen feiern ihren Geburtstag gern nachmittags, sie laden dann ihre Freundinnen zu Kaffee und Kuchen ein.
Ben:	Dann müßt ihr also bei eurem Vater wohl über 50 Kerzen aufstellen?
Annemarie:	Nein, das tun wir natürlich nicht! Nur bei Kindern und jüngeren Leuten stellt man so viele Kerzen auf wie sie Jahre zählen. Bei unseren Eltern helfen wir uns immer so: Wir stellen für jedes Jahrzehnt eine größere Kerze auf. Als Vater 53 Jahre alt wurde, stellten wir fünf größere und drei kleinere Kerzen auf.

Ludwig:	Zu einem richtigen Geburtstag gehören auch Blumen. Ohne einen Blumenstrauß oder einen schönen Blumenstock wäre der Geburtstagstisch nicht vollständig.
Ben:	So ein Geburtstagstisch mit Blumen, Geschenken, Kerzen und Kuchen muß schön aussehen. Gebt ihr euch bei anderen Familienfeiern auch solche Mühe, alles schön herzurichten?
Annemarie:	Natürlich, sonst gibt es keine festliche Stimmung. Und es macht doch so viel Freude, ein Familienfest richtig vorzubereiten und dann zu feiern.

O, diese Mundarten

Wie in jeder anderen Sprache gibt es auch im Deutschen verschiedene Mundarten. In Norddeutschland spricht man anders als in Süddeutschland, ja sogar in Ländern, die nahe beieinander liegen wie z. B. Bayern und Württemberg, spricht man ganz verschiedene Dialekte. Für den Ausländer ist dies oft sehr ärgerlich. Er hat sich große Mühe gegeben, Deutsch zu lernen – und nun kann er die Deutschen nicht verstehen. Aber, lieber Freund aus dem Ausland, trösten Sie sich. Die Deutschen verstehen einander oft selbst nicht. Ein Bayer versteht z. B. kein Plattdeutsch, und ein Deutscher von der „Waterkant", d. h. von der Meeresküste im Norden, wird nicht ohne weiteres einen Schwaben verstehen. Haben Sie also Schwierigkeiten, weil ein Deutscher auf eine Frage von Ihnen in einer Mundart antwortet, so bitten Sie ihn höflich, doch hochdeutsch zu sprechen. Nehmen Sie die Mühen, die Ihnen die deutschen Mundarten bereiten, von der heiteren Seite, so wie die folgenden kleinen Geschichten.

Als im Jahre 1900 in China der Boxeraufstand ausbrach, griffen die europäischen Großmächte militärisch ein und schickten Truppen nach China. Dabei geschah es, daß bei einer Rast bayrische Soldaten

plattdeutsch Mundarten, die im Norden Deutschlands gesprochen werden

dicht neben englischen Soldaten ausruhten. Ein bayrischer Soldat sagte zu seinem Landsmann: „Scheen scheint d'Sunn!" Dieser antwortete: „Ja, d'Sunn scheint scheen!" „Diese verdammten Deutschen", sagten darauf die Engländer, „sie sind erst drei Tage im Lande, aber sie sprechen schon Chinesisch!"

Im Hamburger Hafen lagen zwei Schiffe dicht nebeneinander vor Anker. Vom ersten Schiff rief ein Matrose einem Mann auf dem zweiten Schiff zu: „Do you speak English?" „Yes!" antwortete der Mann. Darauf rief der Matrose auf Plattdeutsch: „Na, dann smiet mi mal dat Tau röwer!" (Na, dann wirf mir mal das Tau herüber!). Er wußte, daß ein Engländer ihn leichter verstehen würde als mancher Deutsche!

Ein Ausländer sah in München den Arbeitern auf einer Baustelle zu. Es war am späten Nachmittag, kurz vor dem Ende der Arbeitszeit. Neben ihm stand ein Einheimischer. Dieser rief den Arbeitern zu: „Was macht's denn jetzt no?" „Zamma rama tama!" war die Antwort. Der arme Ausländer zerbrach sich den Kopf darüber, was das wohl hatte heißen sollen! Aber die Lösung ist ganz einfach. Es heißt, wörtlich „übersetzt": Zusammenräumen tun wir.

scheen scheint d'Sunn schön scheint die Sonne
d'Sunn scheint scheen die Sonne scheint schön
sich den Kopf zerbrechen sich et. vergeblich genau überlegen

DEUTSCHE REIHE FÜR AUSLÄNDER

Herausgegeben von Dora Schulz und Heinz Griesbach

Eine Answahl

Linde Klier / Uwe Martin · **Deutsche Erzählungen I**
5. Auflage, 80 Seiten, kart., Hueber-Nr. 1024

Linde Klier / Uwe Martin · **Deutsche Erzählungen II**
4. Auflage, 135 Seiten, kart., Hueber-Nr. 1025

Herbert Schroeder / Inge Kirchhoff · **Wir lesen Deutsch I**
Texte für die Grundstufe
4. Auflage, 64 Seiten, kart., Hueber-Nr. 1031

Herbert Schroeder / Inge Kirchhoff · **Wir lesen Deutsch II**
Texte für die fortgeschrittene Grundstufe
4. Auflage, 88 Seiten, kart., Hueber-Nr. 1032

Margit und Henrik Weidemann · **Aus deutscher Dichtung**
Von Walther von der Vogelweide bis Werner Bergengruen
4. Auflage, 163 Seiten mit biographischem Anhang, kart., Hueber-Nr. 1023

Kurt Blohm / Wulf Köpke · **Begegnung mit Deutschland**
3. Auflage, 152 Seiten mit vielen Fotos und Zeichnungen, kart., Hueber-Nr. 1027

Klaus Schulz · **Aus deutscher Vergangenheit**
Ein geschichtlicher Überblick
4. Auflage, 183 Seiten, 9 Kartenskizzen, kart., Hueber-Nr. 1026

Gustave Mathieu / Guy Stern · **In Briefen erzählt**
166 Seiten mit Bildtafeln, Fotos und Zeichnungen, kart., Hueber-Nr. 1028

MAX HUEBER VERLAG ISMANING BEI MÜNCHEN